MARIE NADEAU ● SOPHIE TRUDEAU

Grammaire

du deuxième cycle

●

Pour apprendre, s'exercer et consulter

GRAFICOR

CHENELIÈRE ÉDUCATION

Grammaire du deuxième cycle
Pour apprendre, s'exercer et consulter

Marie Nadeau et Sophie Trudeau

© Les publications Graficor (1989) inc., 2001

Supervision du projet et révision linguistique : Mireille Côté
Conception graphique et réalisation : diabolo-menthe
Illustrations : Anne Villeneuve
Illustration de la couverture : Robert Dolbec
Consultation : Carole Fisher, professeure de didactique
   du français à l'UQAC

**Catalogage avant publication
de la Bibliothèque nationale du Canada**

Nadeau, Marie, 1958-

Vedette principale au titre :
Grammaire du deuxième cycle : pour apprendre, s'exercer
et consulter. Pour les élèves du 2e cycle du primaire.

  ISBN 2-89242-826-2

  1. Français (Langue) – Composition et exercices – Ouvrages
pour la jeunesse.   2. Français (Langue) – Grammaire – Ouvrages
pour la jeunesse.   3. Français (Langue) – Orthographe –
Ouvrages pour la jeunesse.   4. Français (Langue) – Grammaire –
Problèmes et exercices – Ouvrages pour la jeunesse.
5. Français (Langue) – Orthographe – Problèmes et exercices –
Ouvrages pour la jeunesse.   I. Trudeau, Sophie.   II. Titre.

PC2112.N32 2001   448.2   C2001-940799-8

GRAFICOR

CHENELIÈRE ÉDUCATION

7001, boul. Saint-Laurent
Montréal (Québec)
Canada H2S 3E3
Téléphone : (514) 273-1066
Télécopieur : (514) 276-0324
info@cheneliere-education.ca

ISBN 2-89242-826-2

Dépôt légal : 2e trimestre 2001
Bibliothèque nationale du Québec
Bibliothèque nationale du Canada

Imprimé au Canada

   5   6   7   8   ITIB   08   07   06

Nous reconnaissons l'aide financière du gouvernement du
Canada par l'entremise du Programme d'aide au développement
de l'industrie de l'édition (PADIÉ) pour nos activités d'édition.

Gouvernement du Québec — Programme de crédit d'impôt pour
l'édition de livres — Gestion SODEC

DANGER
LE
PHOTOCOPILLAGE
TUE LE LIVRE

Avant-propos

Pour l'élève qui n'aime peut-être pas la grammaire

Nous avons écrit ce livre en pensant à toi. Nous savons bien que beaucoup d'élèves trouvent la grammaire ennuyeuse et compliquée… À ton âge, nous étions comme toi! Cela te surprend? Évidemment, nous avons changé d'avis depuis!

Avons-nous rendu la grammaire plus facile? Pas du tout! En fait, on te demandera de travailler très fort. Ce n'est pas ton enseignant ou ton enseignante qui t'expliquera tout, c'est toi! Tu en es capable. Nous te faisons confiance.

Dans des **activités d'observation**, on te demandera de réfléchir beaucoup, d'**expliquer dans tes mots** ce que tu observes. Tu découvriras toi-même les règles de la grammaire et les moyens de les appliquer. Tu pourras **discuter** de tes trouvailles **en équipe**. À plusieurs têtes, ça aide!

Nous t'avons aussi préparé des **exercices**. Ils sont peu nombreux, mais musclés… et impossibles à faire sans réfléchir! Mini-textes, dictées à composer et à donner à tes camarades, erreurs à repérer et à corriger… Tous ces exercices te feront analyser très fort. Et si tu y mets du tien, ils t'aideront vraiment à mieux lire et écrire. **Promis!** Pour t'aider, tu auras à ta disposition tous les moyens nécessaires pour les **réussir**. Les exercices t'amèneront à utiliser une **démarche** qui te servira aussi à **réviser tes propres textes**.

Les activités d'observation et leurs exercices sont divisés en **quatre parties** que tu ne verras pas nécessairement dans l'ordre: **les textes**, la phrase, **les accords** et **les mots**.

La **cinquième partie**, Tes connaissances à ton service, te fournit un **aide-mémoire** de tout ce que tu auras observé. Cette partie est à **consulter** souvent quand tu réviseras les textes que tu écris.

Observer, classer, décrire, expliquer, repérer, vérifier, prouver… Voilà tout un programme qui ne sera pas de tout repos pour toi! Mais **si tu joues le jeu**, tu te surprendras peut-être à aimer un peu plus la grammaire. Chose certaine, tu la **comprendras mieux** et tu **écriras mieux**.

Marie

Sophie

P.-S. Un grand merci à tous ceux et toutes celles qui ont contribué à la réalisation de ce livre.

Table des matières

Abréviations, légendes et pictos

ABRÉVIATIONS			
Les classes de mots		**La fonction sujet**	
A	adjectif	GN-S	groupe du nom en fonction sujet
D	déterminant	Pron.-S	pronom sujet
N	nom	**Le genre, le nombre et la personne**	
Pron.	pronom	f.	féminin
PP	participe passé	m.	masculin
V	verbe	s.	singulier
Vaux.	auxiliaire	pl.	pluriel
Vc	verbe conjugué	pers.	personne
Vinf	verbe à l'infinitif	invar.	invariable
mot invar.	mot invariable		
Les groupes			
GN	groupe du nom	GV	groupe du verbe

LÉGENDE DES NUMÉROS D'EXERCICES	
1.	S'adresse plutôt aux élèves en début de cycle.
1	S'adresse plutôt aux élèves en fin de cycle.
1	S'adresse à tous les élèves du cycle.
Signification des pictos	
Recherche et correction d'erreurs dans un texte	Travail de recherche et de correction d'erreurs à faire sur document reproductible
Renvoi à un document reproductible	Phrases ou mini-texte à composer
→ p. ... Renvoi aux pages de chapitres du manuel	→ p. ... Renvoi aux pages de la section *Tes connaissances à ton service*

bar

1

PARTIE 1

Comprendre et rédiger les textes

L'écriture est née il y a environ 5000 ans, en Mésopotamie.

Sais-tu ce que les hommes écrivaient dans ces tout premiers «textes»? Des listes! des listes de marchandises à livrer, des inventaires de magasin, des comptes (huit sacs de farine contre deux poules et un mouton…)! Hé oui! le besoin de faire du commerce a été leur première raison d'écrire…

Aujourd'hui, on écrit des textes de tous les genres, pour toutes sortes de raisons et pour tous les goûts!

> Qu'est-ce que tu aimes le plus lire? une BD? une histoire d'horreur? une lettre d'un ami? un guide d'expériences scientifiques?

À travers les activités des chapitres qui suivent, tu découvriras la **grammaire du texte**.

Qu'en sais-tu, qu'en penses-tu?

D'après toi, que veut dire *grammaire du texte*?

Pour t'aider, cherche le mot *grammaire* dans le dictionnaire.

Avant de commencer

Tu sais déjà distinguer divers genres de textes. Montre-le en faisant les activités ci-dessous.

Regarde sans les lire les textes suivants :

Timadou et le dragon, à la page 4,

Le chat, à la page 20,

Le chat et le soleil, à la page 36,

Lettre au chat roux, à la page 44.

- De quoi parle chaque texte ? Comment le sais-tu ?
- Qu'est-ce qui est semblable dans ces quatre textes ?
- Qu'est-ce qui est différent ? À quoi le vois-tu ?

Lis maintenant ces textes au complet.

Pour chacun des textes, essaie de répondre aux questions suivantes :

- **Qui** l'a écrit ? (Donne le nom de l'auteur ou de l'auteure du texte.)
- **Pour qui** est-il écrit ?
- **Pourquoi** l'a-t-on écrit ? Quel est le but du texte ?

Trouve de quels genres de textes il s'agit.

- Lequel est une lettre, une histoire, un poème, un texte informatif ?
- Comment le sais-tu ?

> Tu connais déjà beaucoup de choses sur plusieurs genres de textes. Les observations des sections suivantes te feront approfondir ces connaissances sur les genres de textes abordés dans ce manuel.

Les histoires

TEXTE 1

Timadou et le dragon

Au pays des chats, il est un petit chat qui fait triste figure à l'heure des repas. C'est Timadou, fils unique de Gromatou, le roi de tous les chats. Timadou refuse de manger de la souris. Gromatou, ne sachant plus que faire, s'en va chez une sorcière.

— Il n'y a rien à faire, lui répond la sorcière, c'est dans son caractère.

[...]

Au pays des chats, tout le monde ricane. Le prince des chats qui refuse de manger de la souris ! On n'a jamais vu ça !

Or un beau jour, voilà que Timadou rencontre sur son chemin une toute petite souris. [...] Elle a mal à la patte, elle est épuisée et ne peut plus marcher.

— Tu vas me croquer, lui dit-elle en pleurant.

— Mais non, répond Timadou. Je suis [...] le prince des chats, celui qui refuse de dévorer les souris. [...] Ne t'en fais pas, je vais te soigner et te laisser filer.

Aussitôt dit, aussitôt fait.

Quand Timadou rentre au château, mille chats sont là, ce n'est que brouhaha. Ils ont peur du dragon Furibond qui brûle tout sur son passage et dévore tout ce qu'il trouve !

Timadou se met alors à crier :

— Moi, je vais le combattre et vous en débarrasser !

[...]

Tous les chats, surpris, se tournent vers lui.

Toi, [...] le plus doux des chats ! s'étonne son papa.

Timadou court dans sa chambre. Il cherche son épée lorsqu'une toute petite voix lui chuchote à l'oreille :

— Prends cette épée ! C'est une épée magique. Elle transforme en pierre tout ce qu'elle touche.

Timadou baisse les yeux et voit par terre une épée tout en or. À côté d'elle se tient la toute petite souris qui lui dit :

— Tu m'as sauvé la vie. À moi de t'aider maintenant.

[...] Timadou prend l'épée en or et court dehors. Furibond le dragon est dans la cour du château. Il a douze têtes qui crachent du feu, une queue pointue longue de cent mètres. Il est énorme, gigantesque, plus haut que le château.

Tous les chats se sont enfuis sauf Gromatou.

Timadou court vers le dragon, [...] son épée en avant. Le voilà à deux pas du dragon. Il lui perce le pied et aussitôt le dragon se transforme en pierre [...]

[...]

Timadou, le plus petit des chats, a gagné la bataille contre Furibond, le plus grand des dragons.

Au pays des chats, tout le monde applaudit.

Mais le plus fier, c'est Gromatou le roi, son papa.

Catherine Metzmeyer

A La manière de raconter l'histoire

Regarde les illustrations, puis **lis** le début du texte 1, *Timadou et le dragon*.

- S'agit-il d'une histoire imaginaire ou d'une histoire vécue ?
- Comment le sais-tu ?

Trouve la manière de raconter l'histoire de Timadou, parmi les choix suivants :

1. L'auteure est un personnage de l'histoire. Elle raconte ce qui lui est arrivé.

2. L'auteure raconte l'histoire comme si elle l'avait vue dans un film. Elle n'est pas un personnage de l'histoire.

> *Avant d'écrire une histoire, tu dois choisir une de ces deux manières de raconter.*

B L'ordre des évènements

Voici, en désordre, des actions de Timadou dans le texte 1 :

- Timadou transforme un **dragon** en pierre.
- Timadou **refuse** de manger de la souris.
- Timadou reçoit une **épée** magique en cadeau.
- Timadou rencontre une **souris**.

Replace ces actions dans l'ordre où on les trouve dans l'histoire de Timadou (nomme chaque évènement par le mot en gras dans les phrases ci-dessus).

Situe ces évènements sur la ligne du temps :

Ce qui arrive :

en 1ᵉʳ	en 2ᵉ	en 3ᵉ	en 4ᵉ
x	x	x	x

Compare l'ordre des évènements dans le texte et l'ordre sur la ligne du temps.

- Que constates-tu ?

> *Quand tu écris une histoire, raconte les évènements dans l'ordre où ils se sont passés, c'est-à-dire dans un* **ordre chronologique.** *Sinon, ton histoire risque d'être mal comprise.*

Texte 1
p. 4 et 5

C Comment faire parler les personnages

Voici un extrait de l'histoire de Timadou. Les paroles dites par les personnages sont en couleur.

> Or un beau jour, voilà que Timadou rencontre sur son chemin une toute petite souris. [...] Elle a mal à la patte, elle est épuisée et ne peut plus marcher.
>
> — Tu vas me croquer, lui dit-elle en pleurant.
>
> — Mais non, répond Timadou. Je suis [...] le prince des chats, celui qui refuse de dévorer les souris. [...] Ne t'en fais pas, je vais te soigner et te laisser filer.

- Qui parle dans la 1re phrase ? Comment le sais-tu ?
- Qui parle dans la 2e phrase ? Comment le sais-tu ?

Repère, dans le texte 1, toutes les paroles dites par les personnages.
- Comment sont-elles présentées ?

Dis dans tes mots comment tu peux faire parler les personnages pour qu'on comprenne clairement ce que chacun dit.

D Les expressions qui désignent un personnage

> Quel dilemme ! D'un côté, quand on écrit, on veut que le lecteur ou la lectrice comprenne bien de qui on parle tout au long de l'histoire. D'un autre côté, on ne veut pas toujours répéter les mêmes noms pour ne pas ennuyer la personne qui lit !

Pour désigner Timadou, l'auteure utilise d'autres expressions. Par exemple : *Le prince des chats*.

Explique comment tu comprends que *Timadou* est *le prince des chats*.

Relève toutes les autres expressions qui désignent Timadou.

Dis dans tes mots comment tu peux éviter de répéter les mêmes noms dans une histoire que tu écris.

Texte 1
p. 4 et 5

L'usage du pronom *il*

- Que désigne chaque pronom *il* en couleur dans le texte ?
- Comment le sais-tu ?

Lis les deux phrases qui suivent :

a) Timadou court vers le dragon, son épée en avant. Il lui perce le pied et aussitôt il se transforme en pierre.

b) Timadou court vers le dragon, [...] son épée en avant. [...] Il lui perce le pied et aussitôt le dragon se transforme en pierre.

- Quelle est la différence de sens entre ces deux phrases ?
- Quel pronom *il* est mal utilisé dans la phrase *a* ? Pourquoi ?

> Texte 1
> p. 4 et 5

Dis dans tes mots comment tu peux utiliser le pronom *il* comme substitut sans perdre la clarté du texte.

TEXTE 2

Sauvetage

1. J'adore jouer près de la rivière. Sous l'œil de nos parents, nous pouvons nous baigner mon frère et moi. Ulysse n'a que quatre ans. Il faut toujours le surveiller, car il ne sait pas encore très bien nager. Moi, j'ai neuf ans. Normal que je sache mieux que lui. Aujourd'hui, c'est papa qui est de corvée de surveillance. Soudain, coup de klaxon ! C'est son ami monsieur Painchaud, le boulanger. Mon père se lève aussitôt, s'approche de la camionnette pour le saluer. Curieuse, je le regarde une seconde. Une seconde de trop.

Observe
l'organisation des idées dans cette histoire

Le début de l'histoire

- Quels sont les personnages ?
- Que se passe-t-il au début ?

2. Ulysse est au milieu de la rivière. Le courant l'emporte déjà. Je ne pense même pas à crier pour appeler mon père. Je saute à l'eau. Mais Ulysse semble parti pour un long voyage ! J'ai beau nager de toutes mes forces, je n'arrive pas à le rattraper. La rivière tourne. Je sais qu'il y a là un endroit moins profond, mais après... Il y a les rapides, puis la chute. J'aime mieux ne pas y penser. Je me sens découragée.

3. Soudain, trois grosses masses noires barrent la rivière : Tic, Tac et Toc ! Les trois terre-neuve du voisin ! Je vois Tic, la mère, ouvrir la gueule et attraper Ulysse par le bras. Puis, tout doucement, sans lui faire le moindre mal, le traîner jusqu'à la rive. J'arrive quelques secondes plus tard et je m'accroche au cou de Tac qui me ramène, à son tour, sur la terre ferme.

4. Mon père et monsieur Painchaud se précipitent à notre rencontre. Finalement, Ulysse et moi en sommes quittes pour une bonne frousse. Papa nous serre si fort dans ses bras que j'étouffe un peu. Il félicite alors le voisin pour le dressage de ses chiens. C'est le moment que choisit Ulysse pour rappeler à mon père sa promesse : celle d'adopter, nous aussi, un chien...

Carmen Marois

Le problème
- Quel problème survient ?

Un 1er épisode
- Que fait la sœur d'Ulysse pour régler le problème ?
- Est-ce que cela réussit ?

Un 2e épisode
- Qu'arrive-t-il de nouveau dans l'histoire ?
- Le problème est-il réglé ?

La fin
- Comment se termine cette histoire ?

A   La manière de raconter l'histoire

Regarde les illustrations, puis lis le début du texte *Sauvetage*.
- S'agit-il d'une histoire imaginaire ou d'une histoire vécue ?
- Comment le sais-tu ?

Trouve la manière de raconter parmi les choix suivants :

1. L'auteure est un personnage de l'histoire. Elle raconte ce qui lui est arrivé.
2. L'auteure raconte l'histoire comme si elle l'avait vue dans un film. Elle n'est pas un personnage de l'histoire.

- Quel pronom est utilisé pour raconter l'histoire ? la 1re personne (*je*), ou la 3e personne (*il* ou *elle*) ? Pourquoi ?

Compare la manière de raconter dans les textes 1 et 2. Explique les différences que tu observes.
- L'histoire est-elle vécue ou imaginaire ?
- L'auteure fait-elle partie de l'histoire ou pas ?
- L'histoire est-elle racontée à la 1re ou à la 3e personne ?

B   L'ordre chronologique : [➠ page 234]

- Est-ce que les évènements racontés dans *Sauvetage* suivent l'ordre chronologique ?
- D'après toi, pourquoi suit-on cet ordre ?

C   L'organisation des idées

Réponds aux questions en marge du texte 2. Elles te font voir l'organisation des idées dans l'histoire.
- Pour chaque question, précise quelles phrases du texte te permettent d'y répondre.

> Comment organises-tu tes idées dans les histoires que tu écris ?

D   Les expressions qui désignent des personnages

- Quelles sont les expressions qui désignent les chiens du voisin dans le 3e paragraphe de *Sauvetage* ?

> Comment peux-tu éviter de répéter les mêmes noms dans une histoire que tu écris ?

Texte 1
p. 4 et 5
Texte 2
p. 8 et 9

Ma mère est une sorcière

Je m'appelle Pirella et si vous voulez une preuve de l'existence des sorcières, la voilà: ma maman est une sorcière! Une vraie, une formidable sorcière!

[...] Ah, on passe de bons moments, Maman et moi! [...] Mais Maman a un vrai, un épouvantable caractère de sorcière et, quand elle se met en colère, le pire peut arriver. Et **hier**, c'est justement le pire qui est arrivé!

Hier, Maman est allée voir ma maîtresse.

— Mademoiselle Yoyo, vous devriez parler des sorcières en classe! Je suis sûre que les enfants adoreraient ça!

Mademoiselle Yoyo, qui ne savait pas à qui elle avait à faire, a ri en plissant les yeux:

— Vous savez bien que les sorcières n'existent pas! Ce n'est vraiment pas la peine de parler aux enfants de ces personnages ridicules!

Alors, Maman est entrée dans une colère noire. Ses yeux sont devenus rouge vif. Elle a écarté tout grand ses dix doigts, a craché quelques mots stridents et, **aussitôt**, mademoiselle Yoyo s'est retrouvée transformée en un affreux crapaud plein de pustules!

Observe l'organisation des idées dans cette histoire

Le début de l'histoire
- Quels sont les personnages?
- Que se passe-t-il au début?

Le problème
- Quel problème survient?

J'étais vraiment embêtée parce que moi, je l'aime bien ma maîtresse ! Maman était très contente d'elle. [...] Et nous avons quitté l'école.

[...]

Toute seule dans mon coin, je ne pouvais pas m'empêcher de penser à mademoiselle Yoyo. Je m'inquiétais pour elle. **Alors**, j'ai enfilé mon blouson et je suis sortie. L'école n'était pas très loin, cachée derrière un grand portail vert épinard. [...] J'ai sorti une lampe de ma poche, je me suis mise à quatre pattes et j'ai parcouru la cour de long en large. Et **tout à coup**, je l'ai vue ! [...] Je me suis agenouillée et je lui ai dit :

— Mademoiselle Yoyo, je suis désolée. Comptez sur moi, je vais vous tirer de là !

J'ai repensé aux heures que j'avais passées avec Maman à réciter des formules magiques et je me suis dit que ça allait enfin me servir.

J'ai essayé toutes les phrases qui me revenaient en mémoire :
— Patoloc, Folivoc, Tapatoc, voilà le choc !
[...]
Cela ne marchait pas, j'étais catastrophée !

J'ai pris mademoiselle Yoyo dans mes mains et je me suis assise sur le banc, sous le marronnier. [...] **Puis**, [...] toutes les deux, nous nous sommes endormies sur le banc !

Un premier épisode

- Que fait Pirella pour régler le problème ?

- Est-ce que cela réussit ?

Le jour commençait juste à se lever quand Maman est arrivée sur son balai, dans une bourrasque glacée. [...] Maman s'est précipitée vers moi et m'a prise dans ses bras.

— Pirella, ma chérie !... Enfin, te voilà ! J'étais folle d'inquiétude ! Je t'ai cherchée partout ! [...]

Je me suis dit : «Pirella, c'est le moment ou jamais de sauver mademoiselle Yoyo !» [...] Vous savez, les sorcières ont une très mauvaise mémoire...

— Et bien, ma petite Maman... Tu te souviens... **Quand tu es venue me chercher à l'école**...

— J'avais oublié l'école ! Il est presque 9 heures. La maîtresse va être furieuse.

Alors là, j'ai respiré un grand coup.

— Et bien justement, Maman, la maîtresse, la voilà...

Maman a poussé un cri.

— Ah, oui, je me souviens !
[...]

Bon, bon, je vais arranger ça. Ne t'inquiète pas, Pirella, mademoiselle Yoyo ne se souviendra de rien !

Aussitôt, Maman a fait gigoter sa baguette au-dessus de mademoiselle Yoyo qui s'est mise à tourner comme une toupie.

Quand la toupie s'est arrêtée, mademoiselle Yoyo avait retrouvé son doux visage d'institutrice, et moi, j'étais dans la cour, mon cartable à la main.

La cloche a sonné. [...] Mademoiselle Yoyo a tapé dans ses mains.

— En rang les enfants !

Ce matin, je vais vous raconter des histoires de sorcières, vraiment extraordinaires !

Agnès Bertron

Un 2e épisode

- Qu'arrive-t-il de nouveau dans l'histoire ?

- Cette fois-ci, quelle est la nouvelle tentative de Pirella pour régler le problème ?

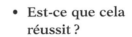

- Est-ce que cela réussit ?

La fin

- Comment se termine cette histoire ?

A **La manière de raconter l'histoire**

Lis le titre et le début du texte *Ma mère est une sorcière*.
- S'agit-il d'une histoire vécue ou imaginaire ?
- L'auteure est-elle un des personnages de l'histoire ?
- S'agit-il d'une histoire racontée à la première personne (avec *je*) ou à la troisième (avec *il* ou *elle*) ?

B **L'organisation des idées**

Réponds aux questions en marge du texte, elles te font voir l'organisation des idées dans l'histoire.
- Pour chaque question, précise quelles phrases du texte te permettent d'y répondre ?

Compare l'organisation des idées dans les textes 2 et 3.
- Que constates-tu ?

Dis dans tes mots quelles sont les parties importantes d'une histoire.

C **Les mots qui marquent le temps**

Lorsqu'on raconte une histoire dans l'**ordre chronologique**, on comprend facilement que les évènements se passent l'un après l'autre. Mais très souvent, on utilise des mots ou des expressions qui marquent plus précisément les différents moments dans l'histoire.

Lis les mots et expressions en couleur dans le texte 3, ils ont rapport au temps.

Classe tous ces mots ou expressions dans un tableau comme celui ci-dessous.

1. Pour indiquer le moment précis où cela se passe	2. Pour indiquer qu'un évènement a lieu subitement	3. Pour indiquer seulement qu'un évènement a lieu après un autre

Texte 2
p. 8 et 9
Texte 3
p. 11 à 13

D **L'usage du pronom *je***

Dans le texte *Ma mère est une sorcière*, on trouve plusieurs fois le pronom *je*. Il désigne souvent Pirella mais, parfois, il veut dire *la mère sorcière* et d'autres fois, *la maîtresse*.

Trouve un exemple pour chaque personne désignée par *je* et **inscris** tes réponses dans un tableau comme celui-ci:

Le pronom *je* désigne:	Exemple (noté avec le verbe qui suit et le numéro de la page)
Pirella	*je m'appelle* (page ...) ...
la mère sorcière	...
la maîtresse	...

Explique comment tu comprends clairement quel personnage désigne le pronom *je*.

E **L'usage du pronom *vous***

Dans le texte 3, on trouve aussi plusieurs fois le pronom *vous* et il ne veut pas toujours dire la même chose.

Trouve un exemple pour chaque sens que prend *vous* dans le texte et **inscris** tes réponses dans un tableau comme celui-ci:

Le pronom *vous* désigne:	Exemple (noté avec le verbe qui suit et le numéro de la page)
les lecteurs du texte	...
la maîtresse	...
la mère sorcière	...
les élèves de la classe de Pirella	...

Explique comment tu comprends clairement ce que désigne le pronom *vous*.

Texte 3
p. 11 à 13

LES HISTOIRES **15**

Exercices

⟶ p. 234 à 236

1. **Voici, en désordre, l'histoire de Zibeline. Replace les évènements numérotés dans un ordre chronologique.**

1) Tac! L'affreux sac redevient crapaud.

2) Malheureusement, au lieu de se transformer en beau prince, le crapaud se change en un féroce crocodile.

3) «C'est mieux qu'un croco, mais je suis loin d'avoir réussi à faire apparaître mon prince, soupire Zibeline. Tentons une dernière opération.» Et elle donne un petit coup de baguette magique sur le sac.

4) Pour se débarrasser du monstre, Zibeline récite une formule magique. Instantanément, la bête devient un sac en peau de crocodile.

5) Finalement, Zibeline décide d'aller au bal avec son crapaud. Après tout, c'est son préféré!

6) Zibeline est une fée maladroite. Pour son premier bal, elle veut qu'un prince charmant l'accompagne. Le soir du bal, elle prend son crapaud préféré et lui jette un sort.

2. **Tim et sa mère, des Martiens, sont en train de souper. Le perroquet de Tim les observe. Le garçon annonce une nouvelle étonnante. Prends connaissance des paroles de Tim, de sa mère et du perroquet.**

Mon ami m'a dit qu'il y a de la vie sur Terre. C'est impossible, mon chéri. Comment ton ami a-t-il pu inventer une telle histoire? Il m'a même dit que les jeunes Terriens passent leurs journées dans un endroit appelé «école». Écoco, écoco, écoco, rococco mon coco! Ton ami, il t'a dit ce qu'on fait à l'école? Oui, les enfants s'y amusent toute la journée pendant que les parents s'amusent au travail toute la journée. Journée, né, né, né mon coco! Dis à ton perroquet de se taire!

Recopie ces paroles pour y mettre un peu d'ordre. Chaque fois qu'un personnage prend la parole, change de ligne et mets un tiret. De plus, insère quelques expressions parmi les suivantes pour indiquer quel personnage parle.

continue le jeune Martien   dit Tim   demande la mère

crie l'oiseau.   Tim continue: Le perroquet se met alors à crier:

La mère se fâche et dit: reprend la mère   lui répond sa mère

3. **Lis l'aventure d'Émile l'ourson.**

L'hiver approche, mais Émile l'ourson ne veut pas s'enfermer dans sa tanière. Sa mère insiste, mais Émile l'ourson refuse d'hiberner. Émile l'ourson rêve de voir sa belle forêt tout enneigée. Décembre arrive. Les grands froids s'abattent sur la forêt. Du fond de sa tanière, la mère ourse s'inquiète pour Émile l'ourson. Elle sait qu'Émile l'ourson doit avoir faim parce que la nourriture se fait rare. Poussé par la faim, Émile l'ourson s'aventure dans un village, mais se fait capturer. Émile l'ourson passera le reste de ses jours dans un zoo. Émile l'ourson n'aura plus jamais faim, mais Émile l'ourson ne reverra plus jamais sa maman ni sa forêt.

Dans le texte ci-dessus, on répète plusieurs fois *Émile l'ourson*.

Trouve trois autres expressions pour désigner ce personnage. Lis dans ta tête en utilisant les expressions que tu as trouvées. Le texte reste-t-il compréhensible?

4 **Lis l'histoire ci-dessous.**

Max le dragon s'ennuie: il en a assez de garder un vieux trésor au fond d'une grotte sombre. Depuis qu'il est tout petit, il rêve de jouer de la clarinette. Malheureusement, chaque fois qu'il souffle dans le bel instrument, il l'enflamme! Comment pourrait-il régler son problème? Il n'a qu'à changer d'instrument. Il jouera du triangle…

Récris l'histoire de Max comme s'il la racontait lui-même.

5 **Voici une histoire très incomplète. Lis-la.**

Clara n'est pas comme les autres. Elle est tellement timide qu'elle a du mal à se faire des amis. Cela ne la dérange pas trop parce qu'elle a Valentin, son fidèle chien qui la comprend mieux que personne. Un jour, en revenant de l'école, elle voit que sa maison brûle et que Valentin s'agite à une fenêtre, prisonnier des flammes!

…

…

Grâce à l'aide de Salvatore, Clara a sauvé Valentin.

a) **Identifie les parties qui sont présentes dans cette histoire et celles qui manquent.**

b) **Invente les parties qui manquent pour que l'histoire soit complète.**

> *Pour t'aider, revois l'organisation des idées dans un récit.*
> ➡ **page 235**

6 **Lis le récit suivant. Il lui manque des indications de temps.**

Il était une fois un petit chaperon vert qui aimait beaucoup sa grand-mère. **(1)**, il pense à elle tous les jours. **(2)**, il a décidé d'aller lui porter du chocolat. Il a enfourché sa trottinette, **(3)** il a traversé la ville. **(4)**, il repense à la forêt pleine de grands méchants loups où habitait **(5)** sa mamie. Il est bien soulagé que sa grand-mère ait déménagé **(6)**!

(7), le petit chaperon vert a faim et mange le chocolat. **(8)**, il apprend qu'elle est partie pour l'après-midi. Il l'attend un peu et va chercher d'autre chocolat. **(9)**, une double surprise l'attend: son petit chaperon vert adoré et du chocolat sucré.

Complète le récit que tu viens de lire. À chaque «trou» numéroté, associe une des expressions de temps ci-dessous.

a) chaque fois qu'il se rend chez sa grand-mère

b) au printemps dernier

c) autrefois

d) arrivé chez sa grand-mère

e) depuis qu'il est tout petit

f) en cours de route

g) hier

h) puis

i) quand sa grand-mère revient chez elle

7 **Lis les extraits ci-dessous.**

1. Laurent et le petit Thomas font voler leurs cerfs-volants. Il fait un faux mouvement. Les cerfs-volants se croisent, s'emmêlent et, à la fin, il se fâche.

2. Agathe parle avec son père.
   — J'ai un beau bulletin. Je vois cela !
   — J'ai amélioré mes résultats en mathématique.
   — Je pense que tu mérites une récompense. Chic alors !
   Je pourrais inviter Julie à souper ?

a) **Pour des raisons différentes, dans chaque extrait, le sens de certains pronoms n'est pas clair. Repère ces pronoms.**

b) **Modifie chaque extrait pour que son sens devienne clair. Dans le deuxième extrait, tu peux utiliser des expressions comme : «dit Agathe».**

Les textes informatifs

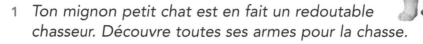

TEXTE 1

Le chat

1 *Ton mignon petit chat est en fait un redoutable chasseur. Découvre toutes ses armes pour la chasse.*

Des yeux perçants

2 Au crépuscule, tu distingues mal les formes. Le chat, lui, voit presque comme en plein jour. Au fond de son œil, une couche de cellules réfléchissantes capte le moindre rayon de lumière.

Une ouïe ultra fine

3 Peux-tu entendre le petit cri d'une souris à 15 m de distance? Le chat, oui. Il capte des sons très aigus. Il repère ainsi les cris des petits animaux qu'il chasse.

Des moustaches radars

4 Si tu marches dans le noir, tu te cogneras partout. Le chat, lui, a un système qui lui permet d'éviter les obstacles: ses moustaches [...]. En frôlant un objet [...], il connaît sa forme exacte.

Des sauts de champion

5 Ce n'est pas la peine de faire un concours de saut avec un chat! Ce sera toujours lui le plus fort. Les articulations et les muscles de ses pattes postérieures lui permettent de sauter jusqu'à 1,50 m de haut.

Des griffes acérées

6 Le chat a des ongles en forme de griffes qui lui permettent d'attraper ses proies, de grimper aux arbres et de se défendre.

Des dents carnassières

7 Le chat est un carnivore. Dans la nature, il ne mange que de la viande. Ses longues canines lui servent à attraper ses victimes et à leur briser le cou.

Images DOC, Bayard Presse, 1995

TEXTE 2

À chacun sa méthode

1   *Pour se nourrir et se défendre, tous les moyens sont bons. Les animaux qui ne possèdent ni crocs menaçants ni venin doivent faire appel à d'autres méthodes. Les éléphants et les rhinocéros, par exemple, utilisent leur taille pour charger et piétiner leurs adversaires. Les serpents non venimeux, pythons ou anacondas notamment, étranglent leurs proies. D'autres animaux se servent d'outils; l'homme en est le meilleur exemple !*

2   Cet œuf d'autruche est trop gros pour que le percnoptère d'Égypte puisse le soulever et sa coquille trop résistante pour qu'il puisse la casser à coups de bec. Il utilise donc une pierre comme outil.

3   Pour se battre, les kangourous mâles s'appuient sur leur queue et donnent des coups avec leurs puissantes pattes arrière.

[...]

4 L'éléphant n'a pas de prédateur à proprement parler. Sa taille et sa force le protègent. Il étend ses oreilles et brandit sa trompe en signe d'avertissement et charge s'il est provoqué.

Photo: PhotoDisc

5 Le boa constricteur et le python peuvent mesurer jusqu'à 6 m de long. Ils étouffent leurs proies – oiseaux et mammifères – en s'enroulant autour d'elles. Ce boa constricteur d'Amérique du Sud a attrapé une petite antilope.

Steve Pollock,
Ces animaux qui font peur
© Nathan/HER (Paris, France)

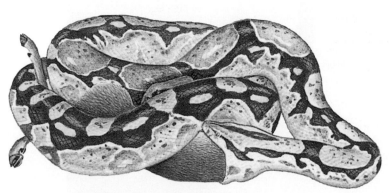

© Wildlife Art Agency, Madeline David

A **Divers genres de textes informatifs**

Il y a plusieurs genres de textes informatifs. Les textes *Le chat*, *À chacun sa méthode* et *De l'œuf au poussin* t'en fournissent quelques exemples.

Survole ces trois textes : lis les titres, regarde les images, lis seulement quelques phrases de chaque texte.

- Lequel explique quelque chose qui se déroule dans le temps ?
- Que font les deux autres textes ?

B **Le titre d'un texte informatif**

Compare les **titres** des textes 1 et 2.

- Annoncent-ils bien ce qu'on va lire dans le texte ? Pourquoi ?
- Quels mots pourrais-tu ajouter à ces titres pour les rendre encore plus précis ?

C **Les intertitres**

Des **intertitres** sont des titres à l'intérieur d'un texte. Ils servent à présenter des parties de texte.

Voici les intertitres du texte 1, *Le chat* :

Des yeux perçants
Une ouïe ultra fine
Des moustaches radars
Des sauts de champion
Des griffes acérées
Des dents carnassières

Choisis un intertitre qui te plaît et relis la partie correspondante du texte 1.

> Le texte 2 n'a pas d'intertitres. Ce n'est pas obligatoire quand le texte n'est pas très long.

- Pourquoi l'intertitre annonce-t-il bien ce qu'on va lire dans cette partie du texte ?

Voici, en désordre, des intertitres qui pourraient convenir aux parties du texte 2, *À chacun sa méthode* :

Un poids pour écraser
Un tour pour étouffer
Une pierre pour casser
Une queue pour s'appuyer

Choisis l'intertitre qui convient pour les parties numérotées 2 à 5.

Texte 1
p. 20
Texte 2
p. 21 et 22
Texte 3
p. 26 et 27

D Le rôle des illustrations

Les **illustrations** rendent toujours un texte plus attrayant pour l'œil, mais leur rôle est souvent bien plus important.

Lis le texte choisi en cachant les illustrations qui l'accompagnent.
- Si tu n'avais jamais vu l'illustration, comprendrais-tu bien le texte ?
- Quelles illustrations pourraient être enlevées ? Pourquoi ?

E L'organisation des idées

1 - L'introduction

Compare l'**introduction** des textes 1 et 2. C'est le premier paragraphe de chaque texte.
- Que remarques-tu ?
- De quoi parle-t-on dans une introduction ?

2 - Le développement

Dans les parties qui suivent l'introduction, les idées sont développées, détaillées une à une. Toutes ces parties ensemble forment le **développement** du texte.

Identifie le développement dans le texte choisi.
- Où peux-tu trouver des intertitres, dans l'introduction ou dans le développement ?

Vérifie si l'ordre des parties est important dans le développement du texte choisi. Lis-le dans l'ordre suivant :

Pour le *Texte 1* :   6-2-5-4-7-3

Pour le *Texte 2* :   4-2-5-3

- Est-ce que cela t'empêche de bien comprendre ?

Photo : PhotoDisc

Texte 1
p. 20
Texte 2
p. 21 et 22
Texte 3
p. 26 et 27

Dans des textes informatifs comme *Le chat* ou *À chacun sa méthode*, chaque partie du développement est indépendante des autres. Tu peux les lire dans le désordre, cela ne changera rien à ta compréhension du texte. On parle alors d'une **organisation en constellation**, qui peut être illustrée par un **schéma en marguerite**:

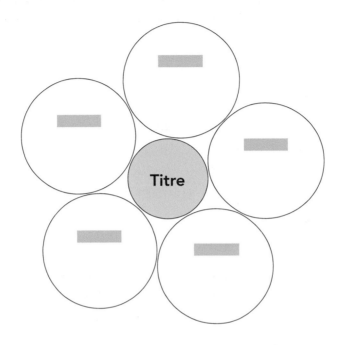

On peut commencer à lire n'importe où autour du centre.

Dessine le schéma du texte 1: écris au centre le titre puis un intertitre dans chaque pétale.

• **Combien de pétales dois-tu dessiner?**

Un schéma en marguerite peut te servir quand tu te prépares à écrire un texte informatif comme le texte 1.

1. Écris le titre de ton texte au centre.

2. Dans de grands pétales autour du centre, inscris les intertitres qui organisent ton texte.

3. Inscris les informations pertinentes au fur et à mesure que tu les trouves. Tu auras ainsi toutes tes idées pour écrire ton texte.

4. Commence le développement par le «pétale» de ton choix!

Dis dans tes mots tout ce que tu as appris sur l'organisation des idées dans les textes informatifs comme *Le chat* ou *À chacun sa méthode*.

TEXTE 3

De l'œuf au poussin

Photo : PhotoDisc

1 Contrairement au bébé d'un mammifère, un poussin se développe en dehors du corps de la mère, dans un œuf. Ainsi, il est bien protégé par une coquille solide. Voyons chaque étape du développement d'un œuf de poule.

La croissance dans l'œuf

2 Dès que le dernier œuf de la couvée est pondu, la poule commence à couver pour que les œufs restent chauds. Si l'œuf n'est pas continuellement maintenu à la même température, le poussin ne se développera pas convenablement.

3 Dans un œuf de poule fraîchement pondu, on voit le jaune, le blanc et le germe. Dès le cinquième jour, un réseau de lignes rouges est formé : c'est le système sanguin du poussin. Un point noir marque l'emplacement de sa tête.

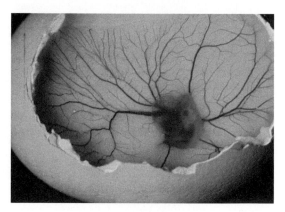

Au 5e jour.

4 La croissance se poursuit, les membres et le bec prennent forme. Le blanc et le jaune de l'œuf disparaissent peu à peu car ils servent à nourrir le poussin. Autour du treizième jour, on distingue bien ses yeux, ses pattes et d'autres parties de son corps. Il commence déjà à bouger. Au dix-septième jour, il est complètement formé. Il continue encore à grandir dans les jours qui suivent.

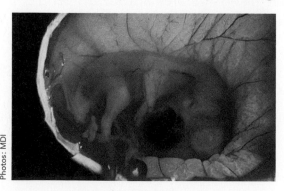

Photos : MDI

Au 13e jour.

L'éclosion

5   Au vingtième jour, le poussin est à l'étroit dans l'œuf, il a épuisé les réserves de nourriture. Il est temps pour lui de

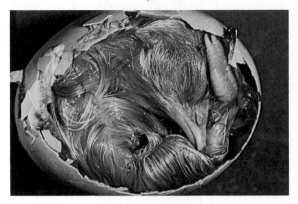

Au 20e jour.

briser sa coquille et d'éclore. Depuis quelques jours, il prépare sa sortie. Il a d'abord percé la membrane interne de l'œuf pour atteindre la chambre à air. C'est un moment important, car il respire pour la première fois. À partir de ce moment, il peut émettre de petits sons pour appeler sa mère.

6   Le vingt et unième jour, avec son bec, l'oisillon frappe la coquille pour la briser. Pour l'aider, il a une petite bosse dure sur son bec qu'on appelle «dent d'éclosion» ou «diamant». Comme il doit fournir beaucoup d'efforts pour briser toute sa coquille, il se repose longuement entre deux séances. Tout au long de son travail, il tourne sur lui-même pour agrandir la fêlure. Finalement, à l'aide d'une poussée de ses pattes, il éclôt.

Poussin fraîchement éclos.

Le jeune poussin

7   Les petits de la poule sont déjà couverts de duvet à la naissance. Leurs yeux sont ouverts et leurs pattes bien développées. Dès que leur duvet est sec, ils quittent le nid et suivent leur mère qu'ils reconnaissent au son de sa «voix». Ils ne volent pas encore, mais ils peuvent courir pour échapper au danger. Ils sont en mesure de trouver leur nourriture dès leur éclosion, car ils picorent instinctivement tout ce qui leur semble comestible.

8   Les petits grandissent rapidement. Quelques semaines après leur naissance, ils perdent leur duvet, qui est remplacé par un plumage presque identique à celui des parents. Couverts de vraies plumes, ils apprennent enfin à voler… comme une poule !

Adaptation de «L'œuf ou la poule»,
de **Louise Sylvestre.**

Photos: MDI

A Le titre et les intertitres

Tu sais qu'un titre, tout en étant court, indique à la personne qui lit la sorte de renseignements qui se trouve dans le texte.

Par exemple, dans le texte 3, le titre *De l'œuf au poussin* nous fait comprendre qu'on lira dans ce texte des informations sur le développement du poussin dans l'œuf.

Comme un titre, un intertitre annonce ce qu'on va trouver dans une partie du texte.

Vérifie les intertitres :
- Choisis un intertitre dans le texte 3.
- Explique pourquoi il convient bien à la partie du texte qu'il présente.

B L'organisation des idées

Compare l'organisation des idées dans les textes 2 et 3.
- Comprendrais-tu le texte 2 si tu changeais l'ordre des paragraphes ?
- Comprendrais-tu le texte 3 si tu le lisais en mêlant l'ordre des paragraphes ?

Le texte 3 a une **organisation en séquence**. Il appartient à un genre de texte informatif différent du texte 2. Tu as vu que le texte 2 avait un schéma en marguerite. Pour illustrer une organisation en séquence, on peut penser au schéma d'un train qui roule sur la ligne du temps :

Dans un texte en séquence, l'ordre des idées a beaucoup d'importance. Chaque paragraphe présente une étape. Pour bien comprendre le texte, on doit le lire dans l'ordre des étapes, l'une à la suite de l'autre.

Texte 2
p. 21 et 22
Texte 3
p. 26 et 27

Dessine le schéma en train du texte 3 : le nombre de wagons sera égal au nombre d'intertitres du texte.

- Combien de wagons dois-tu dessiner ?

Écris le titre du texte au-dessus du train et un intertitre dans chaque wagon.

- Dans quel wagon écriras-tu le premier intertitre *La croissance dans l'œuf* ?

> Un schéma en train peut te servir quand tu te prépares à écrire un texte en séquence comme le texte 3.
>
> **1.** Écris le titre de ton texte au-dessus du train.
>
> **2.** Dessine un wagon pour chaque étape, tu peux aussi y écrire un intertitre.
>
> **3.** Inscris dans un même wagon toutes les informations qui concernent une étape au fur et à mesure que tu les trouves. Tu auras ainsi toutes tes idées en ordre pour écrire ton texte.
>
> **4.** Commence par ce qui se passe en premier sur la ligne du temps.

C Les mots qui marquent le temps

Le texte 3, *De l'œuf au poussin*, est une séquence. On y explique un phénomène qui se déroule dans le temps.

Repère tous les mots et les expressions du texte 3 qui te permettent de situer précisément un évènement sur la ligne du temps.

Dessine une ligne du temps, inscris au-dessus les expressions du texte et au-dessous quelques mots qui résument ce qui se passe.

Voici le début :

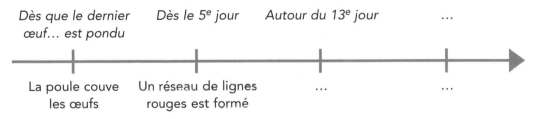

Fais la liste des expressions qui indiquent le temps dans un texte informatif. Tu pourras la consulter pour préciser le temps dans une séquence, quand tu écris.

- Connais-tu d'autres expressions ? Ajoute-les à cette liste.

Texte 3
p. 26 et 27

D Les mots substituts

Dans le texte 3, on parle parfois du poussin en utilisant d'autres noms : *l'oisillon, les petits*. Ce sont des **mots substituts**.

Relis les paragraphes 6, 7 et 8 en remplaçant ces mots par *poussin*.

- Est-ce que cela change le sens du texte ?

Cherche le sens des mots *oisillon, petit* et *poussin* dans le dictionnaire.

- Ces mots sont-ils synonymes (ont-ils exactement le même sens) ?
- Lesquels ont un sens plus général que poussin ?

> Très souvent, on utilise des mots comme **synonymes dans un texte** même s'ils n'en sont **pas dans le dictionnaire**. Pour éviter de répéter trop souvent un mot, on choisira un autre mot au sens plus général. Dans le texte, on comprendra qu'il s'agit de la même chose.

Explique ce que les mots *oisillon* et *petit* peuvent désigner en plus d'un poussin.

Montre ta compréhension.

Voici deux extraits du texte 1 :

> Au crépuscule, tu distingues mal les formes. Le chat, lui, voit presque comme en plein jour.
>
> Ce n'est pas la peine de faire un concours de saut avec un chat !

Dans ce texte, le mot *chat* est répété partout.

- Recherche deux autres mots au sens plus général qui pourraient remplacer le mot *chat* dans ces phrases sans être des synonymes dans le dictionnaire.

Texte 1
p. 20
Texte 3
p. 26 et 27

Exercices

➡ p. 237 à 239

1. **Choisis dans la liste le meilleur titre pour le texte suivant.**

Les vaches sont traites deux fois par jour. Il faut moins de dix minutes pour traire une vache. Le fermier enfile un gobelet trayeur sur chaque pis de la vache. Grâce à une légère pression, le lait sort et est aspiré par la trayeuse. Le lait s'écoule par des tuyaux jusqu'à un réservoir qui le conserve au frais.

Fabriquer, Collection Ma première encyclopédie,
© Larousse-Bordas, 1997

A) La vache, un animal précieux

B) La trayeuse, une machine moderne

C) Traire les vaches

D) Vive le lait

Photo : PhotoDisc

2. **Trouve un titre pour chacun des textes suivants.**

a) Les araignées d'une espèce indienne construisent les plus grandes toiles au monde. Les toiles peuvent couvrir la végétation sur plusieurs kilomètres !

b) Le requin a l'odorat très développé. Il est capable de détecter une goutte de sang parmi 100 millions de gouttes d'eau. On dit même qu'il est capable de sentir la peur d'un autre poisson.

c) Jupiter est la planète la plus grosse du système solaire. Elle pourrait contenir 1300 planètes Terre. Sur elle, tout est monstrueux : les tempêtes et les nuages sont gigantesques.

3. Lis le titre et l'introduction ci-dessous, puis prends connaissance du schéma en marguerite.

Photo : PhotoDisc

Le canard colvert

Un des plus beaux canards est le colvert. Il est très répandu au Québec. Sa queue est blanche, ses pattes orangées et il a quelques plumes au reflet bleu sur l'arrière des ailes. Apprends un peu à le connaître.

Reconnaître le mâle colvert
– tête d'un beau vert luisant
– bec jaune éclatant
– collier blanc
– dos grisâtre
– poitrine brune

Reconnaître la femelle colvert
– moins spectaculaire que le mâle
– plumage tacheté brun et blanc
– bec brun avec des taches orangées

Le canard colvert

Son habitat
– marais
– marécages boisés
– champs de céréales
– étangs
– lacs
– rivières

Sa nourriture

Étape 1 À l'aide du schéma, écris le développement du texte.

Étape 2 Lis le texte *Comment le colvert se nourrit-il ?* à la page 33. Trouves-y des renseignements pour remplir le dernier pétale.

Étape 3 Avec l'information que tu viens de trouver, ajoute un paragraphe à ton texte.

Comment le colvert se nourrit-il ?

Le canard colvert est un canard barboteur, c'est-à-dire qu'il barbote dans les ruisseaux et les étangs pour trouver sa nourriture. Il se nourrit à la surface de l'eau. Il peut aussi se nourrir sous l'eau. Contrairement à d'autres canards, le colvert plonge rarement. Pour se nourrir sous l'eau, il bascule dans l'eau tout l'avant de son corps. Le colvert se nourrit surtout de plantes aquatiques, de graines, d'herbes, de petits organismes aquatiques et d'insectes.

4. Choisis la meilleure introduction pour le texte ci-dessous.

Les habitants de la fourmilière

La reine

La reine est plus grande que les autres fourmis. Presque toute sa vie, elle reste enfermée et pond des œufs. C'est la mère de toutes les fourmis de la fourmilière.

Les mâles

Les mâles ne travaillent pas dans le nid. Ils ont pour seule tâche de féconder la reine. Ensuite, ils meurent.

Les ouvrières

Les ouvrières effectuent toutes les tâches de la fourmilière. Les plus grosses vont chercher de la nourriture. Les plus petites nourrissent la reine occupée à pondre et s'occupent de ses œufs. D'autres entretiennent la fourmilière : elles réparent le nid, en assurent la défense et en sortent les déchets et les fourmis mortes.

Introductions proposées :

A) *La reine est la fourmi la plus importante de sa colonie. Découvre son rôle.*

B) *La fourmilière abrite une colonie bien organisée. Découvre le rôle de chaque fourmi.*

C) *Certaines fourmilières ressemblent à une montagne de brindilles et de feuilles. Examine les galeries qu'elle abrite.*

5 **Lis le texte suivant.**

L'eau de notre planète se renouvelle selon un cycle. Au cours de ce cycle, l'eau prend plusieurs formes. C'est ce qu'on appelle le cycle de l'eau.

1 Sous la chaleur du Soleil, l'eau des océans, des lacs et des fleuves se transforme en vapeur d'eau qui s'élève dans l'air. De plus, les plantes pompent l'eau du sol avec leurs racines et rejettent la vapeur d'eau par leurs feuilles. C'est ce qu'on appelle l'évaporation.

2 D'énormes quantités de vapeur d'eau sont produites tous les jours. À une certaine altitude, la température de l'air baisse et la vapeur d'eau se retransforme en fines gouttelettes. Celles-ci forment des nuages. C'est le phénomène de la condensation.

3 Finalement, l'eau retourne au sol sous forme de brouillard, de pluie ou de neige : ce sont les précipitations. La majorité des pluies se déverse sur les océans. L'eau qui tombe sur la Terre ruisselle et s'écoule vers la mer. Si elle tombe en ville, elle rejoint les égouts et retourne vers les cours d'eau.

L'Encyclo Monde

a) **Trouve un titre à ce texte.**

b) **Trouve un intertitre à chacun des paragraphes.**

c) **Dessine le schéma en train de ce texte.**
Écris un intertitre et note quelques informations dans chaque wagon.

6 **Dans le texte suivant, relève les mots de sens plus général que l'on utilise pour parler du canard.**

Le canard a deux épaisseurs de plumes. Son corps est enveloppé d'un duvet fin et cotonneux. Ce duvet emprisonne la chaleur de l'animal. Par-dessus son duvet, il a un manteau de plumes lisses. Elles protègent l'oiseau du froid et du vent.

Le canard consacre beaucoup de temps à l'entretien de ses plumes. À l'aide de son bec, l'oiseau enduit ses plumes d'une matière huileuse. Cette dernière est fabriquée par une glande située à la base de la queue du canard. Si les plumes n'étaient pas imperméabilisées, le duvet se mouillerait et l'oiseau se noierait.

7 **Récris le texte ci-dessous.**

a) **Trouve un titre à ce texte.**

b) **À la place des numéros entre parenthèses dans le texte, insère des expressions marquant le temps. Aide-toi du calendrier pour inventer les expressions de temps nécessaires.**

c) **Il y a un mot en gras dans le texte. Remplace-le par un mot de sens plus général.**

L'abeille a d'abord été un œuf… Découvre les étapes qui lui permettront de devenir un bel insecte producteur de miel.

Dans la ruche, la reine pond un œuf au centre d'une cellule. Les ouvrières entassent des provisions autour de cet œuf. Une abeille couveuse s'installe ensuite sur la cellule afin de la maintenir à 35 °C.

(1), une petite larve en forme de ver sort de l'œuf. C'est une vraie gloutonne. Des abeilles la nourrissent plus de 1000 fois par jour.

(2), la larve a 500 fois le poids de l'œuf et elle occupe toute sa cellule.

(3), des abeilles enferment la larve dans sa cellule. Un bouchon de cire emprisonne la larve.

(4), isolée dans sa cellule, la larve tisse un cocon de soie. Ensuite, elle devient une nymphe.

(5), la nymphe se transforme en abeille.

(6), une abeille parfaitement formée perce le bouchon de cire de sa cellule. **L'abeille** consacrera les six premiers jours de sa vie au ménage des cellules et des rayons.

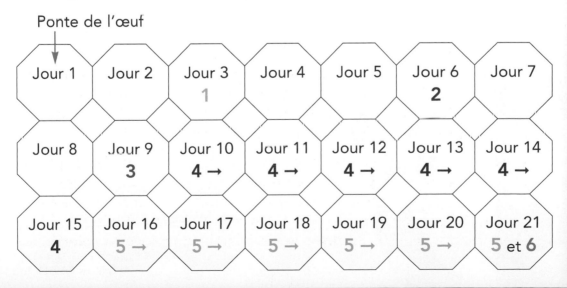

Ponte de l'œuf

Jour 1	Jour 2	Jour 3 1	Jour 4	Jour 5	Jour 6 2	Jour 7
Jour 8	Jour 9 3	Jour 10 4 →	Jour 11 4 →	Jour 12 4 →	Jour 13 4 →	Jour 14 4 →
Jour 15 4	Jour 16 5 →	Jour 17 5 →	Jour 18 5 →	Jour 19 5 →	Jour 20 5 →	Jour 21 5 et 6

Les poèmes, les comptines

TEXTE 1

Le chat et le soleil

Le chat ouvrit les yeux,
Le soleil y entra.
Le chat ferma les yeux,
Le soleil y resta.

Voilà pourquoi le soir,
Quand le chat se réveille,
J'aperçois dans le noir
Deux morceaux de soleil.

L'arlequin © Fondation Maurice Carême, D.R.

TEXTE 2

Kaléidoscope

Dans mon tube à merveilles
y a des morceaux d'étoiles
quelques pluies de pétales
et des feux d'artifice.

Dans ma lorgnette magique
y a des éclats de rire
des miettes d'arc-en-ciel
et des éclairs qui dansent.

Dans ma lunette de fée
y a plein de vers luisants
des tricots d'étincelles
et des fleurs en paillettes.

J'ai les yeux pirouettes !

Le dico des mots rigolos,
Michel Piquemal et Gérard Moncomble
© Éditions Albin Michel, 1999

TEXTE 3

Chanson pour les enfants l'hiver

Dans la nuit de l'hiver
galope un grand homme blanc
galope un grand homme blanc

C'est un bonhomme de neige
avec une pipe en bois
un grand bonhomme de neige
poursuivi par le froid

Il arrive au village
il arrive au village
voyant de la lumière
le voilà rassuré

Dans une petite maison
il entre sans frapper
dans une petite maison
il entre sans frapper
et pour se réchauffer
et pour se réchauffer
s'asseoit sur le poêle rouge
et d'un coup disparaît
ne laissant que sa pipe
au milieu d'une flaque d'eau
ne laissant que sa pipe
et puis son vieux chapeau…

Jacques Prévert, *Histoires*

TEXTE 4

Le poisson rouge

Le poisson rouge
De mon école
A la rougeole.

Il ne veut pas
Que chacun voie
Ses boutons rouges.

Dès que l'eau bouge,
Le peureux plonge
Sous une éponge.

Moi je connais
La vérité
Mais je me tais.

Le poisson sait
Que dans l'école,
Je cache et colle

Mon chewing-gum
Sous l'aquarium.

Pierre Coran, *Le moulin à images*

TEXTE 5

Une maison d'or

Une maison d'or
Pour mon chien qui dort
Un camp en bois rond
Pour mes deux moutons
Une boîte en fer
Pour cacher l'hiver
Un baril percé
Pour le temps passé
Tic et tac et tic et tac
Ils ont pris mon chapeau blanc
Pour la queue d'un cerf-volant.

Gilles Vigneault

TEXTE 6

En voyage

Il faut que j'aille
À Calcutta
Chercher du bois
Pour mon papa.

Il faut que j'aille
En Angleterre
Chercher du thé
Pour ma grand-mère.

Il faut que j'aille
À Bornéo
Faire réparer
Ma p'tite auto.

Les amis
Laissez-moi passer,
Je suis vraiment pressé.

Toutes les observations qui suivent te donneront des idées, te montreront comment les poèmes et comptines 1 à 6 sont construits. Tu pourras t'en inspirer pour jouer, toi aussi, avec les mots.

A Ce qu'on dit dans un poème ou une comptine

Dans un poème ou une comptine, des idées sont exprimées, mais en plus, la façon de les dire est bien spéciale: elle est artistique!

Parfois, les sons que font les mots, les images qui frappent l'imagination prennent plus d'importance que le sens des idées!

Lis le texte choisi.

<table>
<tr><td>Textes
1 à 6
p. 36 à 38</td><td>• Raconte-t-il une petite histoire? Décrit-il plutôt une image?
• Les sons des mots te semblent-ils plus importants que leur sens? Explique ta réponse.</td></tr>
</table>

B Les expressions imagées

Dans le texte *Le chat et le soleil*, on comprend que l'expression *deux morceaux de soleil* désigne les yeux du chat. C'est une expression imagée, une façon originale de décrire les yeux du chat.

Trouve les trois expressions imagées qui désignent le kaléidoscope dans le texte 2.

C Le rythme

Souvent, dans un poème ou une comptine, un rythme est créé par une structure qui se répète, comme un modèle dans lequel on change des mots d'une fois à l'autre.

Par exemple, dans *Kaléidoscope*, la structure qui se répète est présentée en couleur ci-dessous :

Dans mon tube à merveilles
y a des morceaux d'étoiles
quelques pluies de pétales
et des feux d'artifice.

Dans…
y a…
…
et …

Trouve la structure qui se répète dans les textes *Une maison d'or* et *En voyage*.

Trouve un poème dans lequel tu ne peux pas identifier une structure qui se répète.

D La fin d'un poème

Souvent, la fin n'est pas écrite exactement comme le reste.

Par exemple, dans *Kaléidoscope*, la dernière ligne est :
J'ai les yeux pirouettes !

Cette dernière phrase brise le rythme, car elle ne suit pas la structure qui se répète dans les trois premiers paragraphes.

Textes
1 à 6
p. 36 à 38

Identifie la fin des textes 5 et 6.

Explique dans chaque cas ce qui est différent entre la fin et le reste du poème.

E Ce qui rime

Les poèmes sont souvent écrits avec des rimes mais ce n'est pas obligatoire.

Dans *Une maison d'or*, il y a des rimes.

Dans *Kaléidoscope*, il n'y a pas de rimes.

Explique ce qu'est une rime en comparant ces deux textes.

Donne des exemples de rimes dans un autre poème.

Trouve un poème avec certains bouts qui riment et d'autres bouts sans rimes.

F Comment sont organisées les rimes

Les rimes peuvent être organisées selon divers modèles.

Compare les rimes dans les textes *Le chat et le soleil* et *Une maison d'or*.

• Comment les rimes sont-elles organisées dans chaque texte ?

G Diverses manières de ponctuer un poème

En poésie, les règles de ponctuation prennent beaucoup de liberté !

Un seul des poèmes et comptines 1 à 6 suit la règle habituelle de ponctuation: une lettre majuscule au début et un point (ou **!** ou **?**) à la fin de chaque phrase.

*Chouette !
Une chose de moins
à surveiller...*

Décris comment on utilise la lettre majuscule et le point dans chaque poème.

Dis dans tes mots quelles sont les différentes façons d'utiliser la majuscule et le point dans un poème.

Textes
1 à 6
p. 36 à 38

Exercices

⟹ p. 240

1. Lis le poème *Petit chat perdu*.

Petit chat perdu

Un petit chat perdu
Pleure devant ma porte.
Il est boueux et nu
Comme une feuille morte.

Petit chat de personne
Venu de nulle part,
Tu as, comme l'automne,
Des yeux gris de brouillard.

Et plus tu m'apitoies
En miaulant ta peine,
Plus j'ai peur qu'on te noie,
Demain, dans la fontaine.

Petit chat nu, boueux
Comme une feuille morte,
Tu peux sécher tes yeux :
Je t'ouvre grand ma porte.

Pierre Coran

a) Dans la première moitié du poème, trouve l'expression imagée qui indique que le chat a les yeux tristes.

b) Ce poème est écrit avec des rimes. À l'aide d'un exemple, explique comment les rimes sont organisées.

c) Récris le début du poème en changeant les mots qui décrivent le chat.

Un petit chat…
Pleure devant ma porte.
Il est…
Comme…

Petit chat…
Venu de nulle part,
Tu as…
Des yeux…

d) Écris un poème de quatre à six lignes qui parle d'autre chose qu'un chat et dont la fin est aussi :

Tu peux sécher tes yeux :
Je t'ouvre grand ma porte.

2 Lis le poème ci-dessous.

Le vent

1. Où est-il donc le vent
2. Que je le prenne
3. Que je l'emmène
4. Le vent du nord
5. Le vent qui mord
6. Le vent qui défait tes cheveux
7. Le vent qui vire tout à l'envers
8. Qui éparpille nos adieux
9. Aux quatre coins de l'univers

   […]

Poèmes et chansons d'amour et d'autre chose,
Georges Dor, Leméac, 1991

a) Trouve trois expressions imagées qui indiquent que le vent souffle fort.

b) Décris l'organisation des rimes dans ce poème.

3 À ton tour de devenir poète ! Écris une comptine avec des rimes.

a) Sur une feuille, écris le plus de mots possible finissant par le son [ou]. Fais la même chose avec des mots finissant par les sons [in], [u] et [a].

Exemples :

Son [ou]	Son [in]	Son [u]	Son [a]
tout	pain	perdu	chat
joue	chagrin	avenue	pas

b) Écris une comptine qui aura deux paragraphes de quatre lignes chacun. Choisis une façon d'organiser tes rimes.

4 Écris un poème qui décrit quelque chose ou quelqu'un. Ton texte aura des rimes que tu choisis et que tu organises comme tu le veux. Il aura 10 lignes. Utilise au moins deux expressions imagées.

Idées :
la beauté de la lune,
la chaleur du soleil, les qualités d'un ami,
la gentillesse d'une camarade, la tristesse d'une
personne seule, la douceur de la neige,
la rencontre entre une grosse grenouille
et un petit éléphant, une promenade
en forêt, etc.

5 Dans les livres de la bibliothèque, trouve un poème ou une comptine que tu aimes beaucoup. Lis le texte à la classe et explique pourquoi tu l'as choisi. Est-ce à cause des rimes, de l'histoire, des images, de certains mots que tu trouves rigolos ?

6 Lis le poème ci-dessous.

Le «coucher» du soleil

Ce soir, le soleil
Ne veut pas se coucher
Il n'a pas sommeil,
C'est un enfant gâté.

Voici un nuage
Comme petit oreiller
Soleil, sois bien sage,
C'est l'heure d'aller rêver.

La lune, si blanche,
Le veille de sa lumière
Un arbre se penche
Et lui dit une prière...

La brume et la nuit,
Tout doucement, le voilent
Et déposent sur son lit
Un édredon d'étoiles.

Au clair de ma plume, © Callicéphale Éditions, Anne Schwarz-Henrich

a) De quoi parle-t-on dans ce poème ?

b) Dans le premier paragraphe, à quoi compare-t-on le soleil ? Explique pourquoi.

c) Dans le deuxième paragraphe, un nuage devient le petit oreiller du soleil. Explique la ressemblance entre le nuage et l'oreiller.

d) Relève l'expression imagée qui désigne le ciel pendant la nuit.

4 Les lettres

TEXTE 1

Myriam Kirale
Chemin des Bois
70210 Polaincourt

Le Chat Roux
Ferme d'à côté de chez Grand-Père
70210 Polaincourt

Polaincourt, le 14 mai

Bonjour chat roux,

Je t'écris ce petit mot car il est très difficile de te parler, tu te sauves quand je t'aperçois.

C'est souvent que tu fouines dans le grenier de Grand-Père. Il y a beaucoup de souris à cause du blé qui est stocké là-haut. Mais pourquoi fais-tu toujours le détour par sa fromagerie avant de t'en retourner chez toi, nos souris ne te suffisent pas ? Grand-Père dit que si tous les gens du canton avaient autant de goût que toi pour ses fromages de chèvre, il serait riche à millions. Si tu continues, il va les couvrir de poivre, pour te faire passer l'envie d'y revenir trop souvent.

[...]

Laisse-moi te donner un conseil d'amie : désormais, si tu croises Grand-Père pendant une de tes virées sur la ferme, change de quartier !

J'ai remarqué que la Minouche de Grand-Père te fait les yeux doux. Attention chat roux, le noiraud de la ferme est très jaloux.

Si je vois un drôle de petit minou roux aux yeux verts, à l'air malin, et grand amateur de fromage de chèvre parmi les petits que Minouche ramènera bientôt à la ferme, je crois que je saurai qui en est le papa, sacré matou !

Au revoir et ne te sauve plus quand je t'aperçois !

Myriam

Boîte à lettres,
Noëlla Lecomte,
Grasset et
Fasquelle

TEXTE 2

B C'est mon anniversaire !

Je t'invite chez moi pour une super fête. Il y aura des ballons, des jeux, un clown et de bonnes choses à manger.

Date : le samedi 24 avril

Heure : de 11 heures à 15 heures

Lieu : 15, rue des Rigolades
Ville-Heureuse

C Viens t'amuser ! Je t'attends.

D *Akim*

S'il te plaît, donne-moi ta réponse avant samedi par téléphone : (444) 555-6666.

TEXTE 3

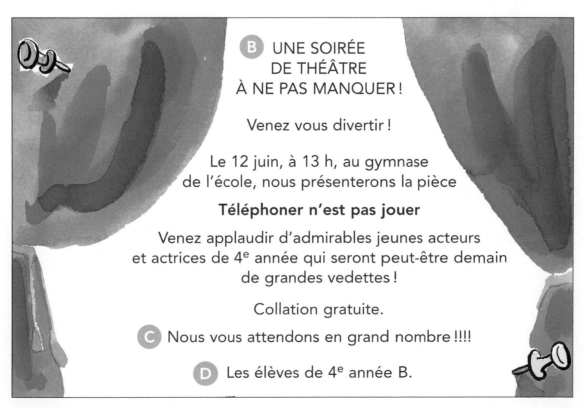

B UNE SOIRÉE
DE THÉÂTRE
À NE PAS MANQUER !

Venez vous divertir !

Le 12 juin, à 13 h, au gymnase
de l'école, nous présenterons la pièce

Téléphoner n'est pas jouer

Venez applaudir d'admirables jeunes acteurs
et actrices de 4e année qui seront peut-être demain
de grandes vedettes !

Collation gratuite.

C Nous vous attendons en grand nombre !!!!

D Les élèves de 4e année B.

TEXTE 4

A **Bonjour !**

B Mon école est située au Niger, dans une oasis proche du désert car nos parents sont des nomades. Nous sommes pensionnaires. Le maître porte un tagelmoust, le turban des hommes touaregs. Sur le tableau, il a écrit des mots en français, la langue officielle du Niger. On les recopie sur nos ardoises. C'est difficile car en famille on parle le tamacheq, la langue touarègue. Après la classe, on cultive le jardin potager de l'école. J'ai de la chance d'étudier. En effet dans les pays proches du Sahara, la moitié des enfants ne vont pas à l'école.

D **Madani, 8 ans**

Images DOC, Bayard Presse, 1996

TEXTE 5

À : http://www.ecolesfrancaises.net/correspo
De : gr 401 école Troubadour
Objet : Correspondance

A Madame, Monsieur,

Bonjour,

B Nous sommes des élèves de 9 et 10 ans de l'école Troubadour et nous souhaitons nous inscrire à votre liste de correspondance entre écoles.

Nous aimerions communiquer en français avec des enfants de notre âge pour discuter de leurs goûts et de leurs activités en classe.

La personne responsable de notre groupe est madame Lucie Latour et son adresse électronique est lucie.latour@troubadour.qc.ca.

Notre adresse postale est :

École Troubadour
230, rue Bessette
Mont-Saint-Grégoire (Québec) J0J 1K0
CANADA

C Merci pour votre bon travail.

D Les élèves de la classe de Mme Latour.

TEXTE 6

13 novembre 2001

A Salut, Pat

B On était contents d'avoir de tes nouvelles. Tu aimes ta nouvelle école? Connais-tu la dernière nouvelle? Mélanie sort avec Kevin!

On a eu un beau A pour notre travail d'équipe sur les planètes. Oui, oui, celui qu'on avait commencé avec toi. Bravo! Viens-tu nous voir pendant les vacances d'été? Ce serait super!

C À la prochaine,

D Tes amis Audrey, Zacharie, Vicky et Simon.

Pat Lachance

123, rue Du Ruisseau

Rimouski (Québec)

G5L 8N1

TEXTE 7

A Cher professeur Scientifix,

B J'aimerais savoir si c'est possible d'élever des insectes comme la fourmi, la mouche ou autres. Si oui, je voudrais avoir une estimation du prix que ça me coûtera pour leur faire un abri. Comment les prendre sans leur faire de mal ou comment les attirer? Pourrais-je faire des expériences sans les blesser?

C J'apprécie beaucoup ce que vous écrivez dans la revue. Surtout, continuez!

D Jonathan

Les Débrouillards (JMPD)

On écrit des lettres à toutes sortes de personnes, pour toutes sortes de raisons. D'une lettre à l'autre, certains aspects se ressemblent mais d'autres changent selon la circonstance.

> Grâce aux observations de cette section, tu sauras écrire une lettre et l'adapter à diverses situations.

A **Des lettres à toutes les sauces**

Lis les textes 1 à 7 pour trouver la situation qui entoure chaque lettre.

Inscris les renseignements demandés dans un tableau comme celui ci-dessous.

	Qui a écrit la lettre ?	**À qui** la lettre est-elle envoyée ?	**Pourquoi** a-t-on écrit cette lettre ?
lettre 1			
lettre 2			
lettre 3			
lettre 4			
lettre 5			
...			

> **Le mot juste**
>
> Le ou la **destinataire** est la personne à qui on envoie une lettre.

B **L'organisation des idées**

Compare les parties **A** des lettres 4, 5, 6 et 7.
- Quelles sont les différentes formules utilisées pour commencer une lettre ?

Compare les parties **B** des lettres 4, 5, 6 et 7.
- Que trouve-t-on dans cette deuxième partie ?

Compare les parties **C** des lettres 5, 6 et 7.
- À quoi sert cette partie de lettre ?
- Qu'est-ce qu'on y écrit ?

Compare les parties **D** des lettres 4, 5, 6 et 7.
- Qu'est-ce qu'on y écrit ? Pourquoi ?

Dis dans tes mots tout ce que tu as observé sur l'organisation d'une lettre : ses différentes parties, ce que chacune doit contenir.

Montre ta compréhension de l'organisation des idées dans une lettre.

Textes
1 à 7
p. 44 à 47

- Quelles sont les quatre parties de la lettre 1 ?
- En quoi les lettres 2 et 3 sont-elles différentes des autres lettres ?
- Quelle partie est absente de la lettre 2 ? de la lettre 3 ? Pourquoi, d'après toi ?

C Comment établir ou maintenir le contact

Des verbes à la 2ᵉ personne du singulier ou du pluriel, les pronoms *tu, te, toi, vous*, les déterminants *ta, ton, tes, votre, vos*, voilà autant de signes qu'on s'adresse directement à une personne ou à un groupe de personnes. Ce sont là des moyens d'entrer en contact ou de le rester.

> Si, dans une lettre, on parlait seulement de nous-mêmes, on aurait l'air bien égoïste !

Repère, dans les lettres 3, 5, 6 et 7, les signes pour entrer en contact.

- Dans quelle lettre y en a-t-il beaucoup ? très peu ? Comment l'expliques-tu ?

D Comment employer le style qui convient

– Des formules selon la circonstance

La lettre 5 commence par *Madame, Monsieur, Bonjour*.

Le lettre 6 commence par *Salut, Pat*.

- Pourrais-tu remplacer le début de la lettre 5 par *Salut, Madame, Monsieur* ? Pourquoi ?

– L'utilisation de *vous* dans une lettre

Le pronom *vous* est utilisé dans les lettres 3 et 7, relis-les.

- Quelles sont les différentes raisons d'utiliser *vous* dans une lettre ?

– L'utilisation de *nous* et de *on*

Dans la lettre 5, les élèves de la classe de Mme Latour ont écrit :

Nous sommes des élèves de 9 et 10 ans...

- Auraient-ils pu écrire tout aussi bien la phrase ci-dessous ? Pourquoi ?

On est des élèves de 9 et 10 ans...

Le pronom *on* est utilisé dans la lettre 6.

- Cet usage du pronom *on* est-il approprié dans cette lettre ? Pourquoi ?

Dis dans tes mots quel style employer selon quelle circonstance.

Textes
1 à 7
p. 44 à 47

- Écrirais-tu au directeur ou à la directrice de ton école de la même façon que tu écrirais à ton meilleur ami ? Qu'est-ce que les lettres auraient de différent ?

Exercices

⟹ p. 241

1. **En équipes, faites une cueillette de lettres.**

Étape 1 **Apporte en classe une ou deux lettres que tu trouveras chez toi, par exemple une carte postale, une lettre d'un organisme… À la maison, demande de l'aide.**

Étape 2

a) **Trie en deux piles les lettres recueillies par l'équipe.**

– *Pile 1* : La personne qui a écrit la lettre **connaît bien** le ou la destinataire (la personne qui a reçu la lettre).

– *Pile 2* : La personne qui a écrit la lettre **ne connaît pas** le ou la destinataire.

b) **À partir des lettres que tu as devant toi, dresse l'inventaire des formules pour commencer une lettre. Classe-les en deux colonnes :**

1) les formules utilisées quand la personne qui a écrit la lettre **connaît bien** le ou la destinataire ;

2) les formules utilisées quand la personne qui a écrit la lettre **ne connaît pas** le ou la destinataire.

c) **Fais maintenant l'inventaire des formules de salutation qui servent à terminer une lettre.**

2 **Sur une feuille, associe chaque destinataire de la liste 1 à la formule qui lui convient le mieux dans la liste 2.**

Liste 1 – Destinataire (personne qui reçoit la lettre)	Liste 2 Formule de salutation
1) Monsieur le Professeur,	*a.* Un gros bizou et une caresse.
2) Maman d'amour,	*b.* Au revoir et à bientôt.
3) Bonjour Madeleine,	*c.* Bye-bye !
4) Coucou Bianca !	*d.* Mes sentiments respectueux.

3 **Les enfants de ton quartier organisent un tournoi de soccer dans le parc. Compose la lettre circulaire qui sera distribuée dans tout le voisinage. Tu peux t'inspirer de la lettre 3 à la page 45.**

4 Écris à l'être qui t'est le plus cher pour le simple plaisir de lui dire quelques mots, de lui donner de tes nouvelles. Ta lettre comptera entre six et dix phrases.

5 Natacha veut envoyer la lettre ci-dessous à la responsable de l'Insectarium, une dame qu'elle ne connaît pas.

Salut !

Camille et moi, on fait une recherche sur les fourmis rouges. S'il te plaît, pourrais-tu nous envoyer de la documentation sur ces fourmis ?

Bye !

Natacha, élève de la classe 3C
École Davignon
3624, rue Blais
Amqui (Québec) J5V 2T9

Aide Natacha à adapter sa lettre à la circonstance. Dresse la liste des passages que Natacha devrait modifier. Pour chacun de ces passages, propose une correction.

Passage à modifier	Proposition de correction

6 Au sujet des activités parascolaires de sa nouvelle école, Pat a envoyé la lettre ci-dessous à ses amis.

Salut les amis !

Vous me demandez si j'aime ma nouvelle école. N-O-N, NON ! Il n'y a presque pas de parasco. Pas de soccer, pas de musique, pas de bricolage. Rien ! Je m'ennuie. Je vais devoir secouer les puces de ceux qui sont censés s'occuper de nous !

À la prochaine !

Pat

Récris la lettre de Pat pour qu'il puisse l'envoyer à la directrice de sa nouvelle école.

7 En six à dix phrases, réponds à la lettre de Madani (lettre 4, page 46). Tu peux lui poser des questions, te présenter, décrire ton école, etc.

Construire et ponctuer les phrases

Écris trois phrases...

N'oublie pas de mettre une majuscule au début et un point à la fin de chaque phrase !

Lis la première phrase du texte.

Depuis que tu es en première année, on te parle souvent de phrases à l'école.

On écrit depuis quelques milliers d'années, mais savais-tu que la ponctuation des phrases n'a pas toujours existé ?

Dans les manuscrits des 5e et 6e siècles qu'on a retrouvés en France, il n'y a aucun signe de ponctuation. Et même, les mots sont souvent collés ensemble !

> tucrois peut êtreque ceserait plus faciled'écrire commeça maispenseaulecteurou àlalectrice imagineun texte qui necontientaucun signedeponctuation de plus lesmots ne sont pastoujours séparéspar des espacesblancs après quelqueslignes celapeutdevenir assezdifficileàcomprendre

L'usage des signes de ponctuation s'est répandu vers le 8e siècle, mais les signes utilisés variaient selon la personne qui copiait les livres !

Ce sont les premiers imprimeurs qui ont imposé des règles de ponctuation utilisant la lettre majuscule et le point pour chaque phrase. C'était au milieu du 15e siècle.

Qu'en sais-tu, qu'en penses-tu ?

- Comment sais-tu où commence et où se termine chaque phrase d'un texte que tu lis ? que tu écris ?
- Que fais-tu pour vérifier la ponctuation de tes phrases ?
- Sais-tu distinguer une phrase bien construite d'une phrase mal construite ? Donne des exemples.

Dans cette partie du manuel, tu apprendras à construire diverses sortes de phrases. Ensuite, tu sauras mieux vérifier leur structure et utiliser le signe de ponctuation qui convient.

Avant de commencer

1. La phrase : une double organisation

Savais-tu que les mots d'une phrase s'organisent sur au moins deux niveaux ? Tu trouveras pourquoi dans cette section.

A Observe **les mots qui s'organisent en groupes**

Groupes de mots bien construits	Groupes de mots qui ne sont pas bien construits
aller au cirque	cirque aller au
sous le chapiteau jaune	jaune sous chapiteau le
le lion affamé	affamé lion le
admire les costumes	les admire costumes

- Pourquoi les groupes de mots à gauche sont-ils bien construits ?
- Pourquoi ceux de droite sont-ils mal construits ?

B   Observe les groupes qui s'organisent en phrases

Phrases bien construites	Groupes qui ne forment pas des phrases bien construites
La jeune contorsionniste russe arrive au cirque vers 17 heures .	~~Arrive au cirque la jeune contorsionniste russe vers 17 heures .~~
Les clowns parlent aux spectateurs avant le spectacle .	~~Avant le spectacle parlent aux spectateurs les clowns .~~
Les nombreux spectateurs attendent le début du spectacle sous le chapiteau .	~~Attendent le début du spectacle sous le chapiteau les nombreux spectateurs .~~

Dans chacune des phrases ci-dessus, chaque groupe est surligné d'une couleur différente.

Vérifie la construction de chaque groupe.

- Les groupes de mots à gauche sont-ils bien construits ? et ceux de droite ?
- Qu'est-ce qui rend les phrases de droite mal construites ?

On peut voir l'organisation de la phrase comme l'organisation des racines d'un arbre.

Les racines d'un arbre :		Une phrase :
Le tronc	La phrase :	Les spectateurs rient beaucoup.
Les racines principales	Les groupes de mots :	Les spectateurs rient beaucoup .
Les petites racines (ou radicelles)	Les mots :	Les spectateurs rient beaucoup.

NOTE : Dans une phrase plus longue, il peut y avoir plusieurs niveaux de groupes de mots.

2. L'organisation générale d'un groupe

Tous les groupes sont construits sur le même modèle.

- Un **noyau**: c'est le mot principal qui donne son nom au groupe. Si c'est un nom, on parlera d'un **groupe du nom** (**GN**). Si c'est un verbe, on parlera d'un **groupe du verbe** (**GV**).

- Des **expansions**: ce sont des mots ou d'autres groupes de mots qui *complètent* le noyau.

Exemples:

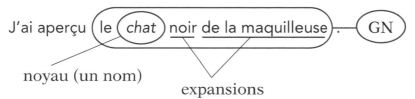

J'ai aperçu le *chat* noir de la maquilleuse. — GN

noyau (un nom)

expansions

Le mot *noir* et le groupe *de la maquilleuse* indiquent plus précisément de quel chat il s'agit. Ce sont des **expansions** qui complètent le nom *chat*, **noyau** de ce long **GN**.

Dans une des expansions, on reconnaît un autre GN: **la maquilleuse.**

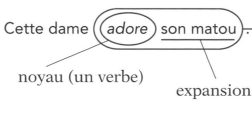

Cette dame *adore* son matou. — GV

noyau (un verbe)

expansion

Le verbe *adore* est le **noyau** de ce **GV**.

Dans l'expansion qui complète le verbe, on reconnaît un GN: **son matou.**

3. Le pronom: pour remplacer des groupes de mots

Un **pronom** remplace tout un groupe de mots. Si on ne connaît pas le groupe qu'il remplace, on ne peut pas comprendre son sens. Cela fait du pronom une classe de mots très différente des autres.

A Observe ce que remplace un pronom

> Quand tes parents et tes grands-parents allaient à l'école, ils apprenaient qu'un pronom remplace un nom. On disait même: «le pronom est mis pour un nom»… «**pronom**»… «**pour** un **nom**»…

> C'était un truc facile pour se souvenir du mot «pronom», mais ce n'était pas tout à fait exact! Ce qui suit en est la preuve.

Ces phrases se disent bien	Cette phrase est mal construite, cela ne se dit pas
Le chat noir de la maquilleuse a vagabondé toute la nuit. → **Il** a vagabondé toute la nuit.	Le ~~il noir de la maquilleuse a vagabondé toute la nuit.~~

Trouve quels mots exactement sont remplacés par le pronom *il* dans la phrase de gauche.

• Pourquoi la phrase de droite est-elle mal construite ?

Donne des exemples de pronoms que tu connais déjà.

> Imbécile !

> **Celui** qui le dit, **celui** qui l'est !

B Observe encore ce que remplace un pronom

Les mots en orangé sont des pronoms.

Xavier adore aller au cirque.
→ **Il** adore **ça**.

Sa famille va assister à la répétition générale.
→ Sa famille va **y** assister.

Ses sœurs parlent toujours de la funambule.
→ **Elles en** parlent toujours.

Son nouveau numéro sera sûrement impressionnant.
→ Son nouveau numéro **le** sera sûrement.

Le dompteur guette la panthère.
→ Le dompteur **la** guette.

Repère dans les phrases en vert les groupes de mots exacts que chaque pronom remplace.

- Lesquels sont des GN ? Lesquels ne sont pas des GN ?

NOTE : Le pronom remplace toutes sortes de groupes de mots, pas seulement des GN.

5 La phrase déclarative

La **phrase déclarative** est très fréquente. Dans un texte, la plupart des phrases sont des phrases déclaratives. Dans ces phrases, on *déclare*, on constate quelque chose (un fait, un sentiment...). C'est facile, son nom le dit: phrase *déclarative*... on *déclare*... Tu sais déjà qu'elle se termine par un point. C'est important de bien savoir la construire puisque tu en écris très souvent ! Elle sert aussi de **modèle de base** pour les autres sortes de phrases.

1. Le minimum... dans la phrase déclarative

Une phrase déclarative bien construite est constituée d'*au moins* deux groupes. Chaque groupe doit aussi être bien construit.

A **Observe les deux groupes de ces phrases déclaratives**

Jules marchait .

Les arbres étaient superbes .

Ton sac à dos est bleu .

Cédrine aperçoit une araignée .

Ces animaux vont au ruisseau .

Hubert offrira son aide à son copain .

Bérénice mettait des provisions dans son sac .

Dis ces phrases à voix haute.

- Comment sonnent-elles à tes oreilles ? Est-ce qu'elles se disent bien ?
- Forment-elles des phrases complètes ? Essaie d'expliquer pourquoi.

Prouve que les deux groupes dans les phrases de la page précédente sont obligatoires.

- Dans chaque phrase, efface le groupe en bleu. Que penses-tu du groupe en jaune qui reste : s'agit-il d'une phrase complète et bien construite ? Pourquoi, d'après toi ?
- Fais de même avec les groupes en jaune : efface-les. Les groupes en bleu sonnent-ils comme des phrases complètes ? Pourquoi, d'après toi ?

Décris ce que contient le groupe en bleu.

- Quelle classe de mots est toujours présente ?
- De quelle sorte de groupe de mots s'agit-il ?
- Quelle est la fonction de ce groupe de mots dans la phrase ?

Décris ce que contient le groupe en jaune.

- Quelles classes de mots peux-tu identifier dans ces groupes ?
- Quelle classe de mots est toujours présente ?
- De quelle sorte de groupe de mots s'agit-il ?
- Quel est le noyau de chaque groupe ?

Dis dans tes mots quel est le minimum nécessaire pour construire une phrase déclarative.

NOTE : Le groupe en bleu, le groupe du nom sujet, peut être remplacé par un pronom.

Exemples : Il marchait.
Ils étaient superbes.

Ces phrases sont aussi complètes et bien construites.

B **Observe** le minimum dans le groupe du nom

Groupes du nom bien construits	Mots qui ne forment pas un groupe du nom bien construit
Sabrina sort avec ses amis .	Sabrina sort avec ~~amis~~ .
Ces enfants adorent le cinéma .	~~enfants~~ adorent ~~le~~ .
Le film déçoit Zénaïde .	~~Le~~ déçoit Zénaïde.
Les spectateurs quittent la salle .	~~Spectateurs les~~ quittent ~~salle la~~ .

Décris ce qui forme un groupe du nom bien construit.

- Quelles classes de mots forment chaque groupe du nom en couleur dans la colonne de gauche ?
- Quand peut-on avoir un GN bien construit qui contient un seul mot ?
- Pourquoi les mots surlignés en gris ne forment-ils pas des groupes du nom bien construits ?

Dis dans tes mots les deux façons de bien construire un groupe du nom.

C Observe le minimum dans le groupe du verbe

Groupes du verbe bien construits	Mots qui ne forment pas un groupe du verbe bien construit
Olivier arrive .	Olivier ✕
Martine plonge .	Martine ✕ .
L'eau était chaude .	L'eau ~~était~~ .
La rivière est peu profonde .	La rivière ~~est~~ .
Lambert aperçoit une truite .	Lambert ~~aperçoit~~ .
Les jeunes vont au chalet .	Les jeunes ~~vont~~ .
Ziad prête son canot à ses copains .	Ziad ~~prête à ses copains~~ .
Liane permet à Lison de pêcher .	Liane ~~permet à Lison~~ . Liane ~~permet~~ .
Juliette met des bûches dans le foyer .	Juliette ~~met des bûches~~ . Juliette ~~met~~ .

Décris ce qui forme un groupe du verbe bien construit.

- Quelle classe de mots est présente dans tous les groupes en couleur dans la colonne de gauche ?
- Quelles phrases ont un GV qui contient un seul mot ?
  De quelle classe de mots s'agit-il ?
- Pourquoi les mots surlignés en gris dans la colonne de droite ne forment-ils pas des GV bien construits ?

Dis dans tes mots quel est le minimum nécessaire dans un groupe du verbe.

2. Les phrases déclaratives que tu écris

Quand une phrase déclarative est construite avec seulement ses deux groupes obligatoires et le minimum dans chaque groupe, cette phrase est bien maigrichonne même si elle est bien construite. Si tous les textes étaient écrits seulement avec le minimum dans chaque phrase, ils seraient tellement monotones ! Les phrases déclaratives qu'on écrit ont le plus souvent été développées, enrichies.

Voici deux façons d'enrichir une phrase :
– ajouter des expansions dans un groupe,
– ajouter un ou des groupes de mots à la phrase.

> Pense à ces moyens lorsque tu écris. Tu auras ainsi de jolies phrases dans tes textes !

A **Observe comment enrichir le groupe du nom**

TEXTE 1

Joséphine a un jardin. Il abrite des créatures. Entre les cèdres, des araignées ont tissé leurs toiles. Plusieurs insectes se prennent dans ces pièges. Une couleuvre se chauffe derrière le pot. Mon ami vient souvent grimper dans les arbres.

TEXTE 2

La grande Joséphine a un jardin de fleurs. Il abrite des créatures fantastiques. Entre les cèdres de la haie, des araignées noires et velues ont tissé leurs délicates toiles. Plusieurs insectes distraits se prennent dans ces redoutables pièges. Une longue couleuvre verte se chauffe derrière le joli pot de marguerites de la tante Nicole. Mon ami Hector vient souvent grimper dans les arbres géants du jardin sauvage de la belle Joséphine.

Compare les textes 1 et 2.
• Lequel est le plus précis ?
• Quelles différences observes-tu entre les deux textes ?

Repère les groupes du nom dans le texte 1.

Vérifie s'ils sont bien construits.

Fais la liste de ces mêmes groupes du nom avec leurs expansions dans le texte 2.

Encadre au crayon bleu les mots obligatoires du groupe du nom et souligne les expansions.

- Quelles classes de mots reconnais-tu dans les diverses expansions ?
- Combien de façons y a-t-il pour enrichir le groupe du nom ?

Dis dans tes mots quelles sont les trois façons d'ajouter une expansion dans un groupe du nom.

B **Observe** **comment enrichir le groupe du verbe**

TEXTE 1

Mandoline dort. Un raton laveur approche de sa tente. Il l'inspecte. Mandoline ronfle. L'animal fouine. Déçu, il aperçoit les provisions de la campeuse suspendues entre deux arbres. L'animal réfléchit. Rien ne résiste à un raton affamé…

TEXTE 2

Mandoline dort profondément. Un raton laveur approche silencieusement de sa tente. Il l'inspecte avec curiosité. Mandoline se met à ronfler. L'animal continue de fouiner. Déçu, il aperçoit clairement les provisions de la campeuse suspendues entre deux arbres. L'animal réfléchit sérieusement. Rien ne résiste longtemps à un raton affamé…

Compare les textes 1 et 2.

- Lequel est le plus précis ?
- Quelles différences observes-tu entre les deux textes ?

Repère les groupes du verbe dans le texte 1.

Fais la liste des groupes du verbe avec toutes leurs expansions dans le texte 2.

Surligne en jaune tous les mots obligatoires du groupe du verbe et souligne les expansions nouvelles.

- Quelles classes de mots reconnais-tu dans les diverses expansions ?
- Combien de façons y a-t-il pour enrichir le groupe du verbe ?

Dis dans tes mots quelles sont les façons d'ajouter une expansion dans un groupe du verbe.

C **Observe comment ajouter des groupes de mots qui enrichissent la phrase**

Guendoline ronfle.
→ Guendoline ronfle dans sa tente.

Une mouffette approche des tentes.
→ Une mouffette approche des tentes pour trouver de la nourriture.

Les vacanciers ont mal dormi.
→ Cette nuit, au camping, les vacanciers ont mal dormi à cause du bruit et des odeurs...

Décris les différences d'une phrase à l'autre dans chaque bloc.

- Les phrases en couleur sont-elles bien construites ? et les phrases en noir ?
- Où sont situés les groupes de mots ajoutés dans les phrases en noir ?
- Qu'est-ce que chaque groupe précise dans la phrase ? un lieu ? le moment ? un but ? une cause ?
- Peut-on ajouter plusieurs groupes de mots dans une phrase ? Donne un exemple.

Dis dans tes mots comment enrichir la phrase à l'aide de groupes de mots.

Récapitule sous forme d'affiche ou d'aide-mémoire.

1. Comment peux-tu vérifier que tes **phrases déclaratives** contiennent le **minimum** pour être bien construites ?

- Quels groupes doivent-elles contenir ? Donne des exemples.
- Qu'est-ce qu'on doit trouver dans chaque groupe ? Donne des exemples.

2. Comment peux-tu écrire une phrase déclarative plus développée ou enrichie ?

- Énumère les moyens que tu connais et donne un exemple pour chacun.

Exercices

⇒ p. 242 à 245

1. **Agnès ne sait plus comment marquer le début et la fin des phrases déclaratives. Recopie le texte ci-dessous en corrigeant sa ponctuation.**

le soccer est mon sport préféré je joue dans une équipe nous gagnons souvent je suis une très bonne gardienne de but je ne rate jamais une partie

2 **L'élève qui a recopié ce texte au propre avait la tête en l'air ce jour-là ! Lis ses phrases.**

a) Le désert est magnifique.

b) aperçoit une oasis.

c) Mon chameau veut.

d) Notre guide propose.

e) Nos boivent de l'eau.

f) Le vent fouette nos visages.

g) Soleil réchauffe.

Étape 1 **Parmi les phrases ci-dessus, lesquelles sont bien construites ? Pourquoi ?**

Étape 2 **Récris, en les corrigeant, toutes les phrases qui ne sont pas parfaitement construites.**

3 **Lis le texte ci-dessous.**

L'étang est un paradis. Chaque jour, mon amie vient y observer les grenouilles. Parfois, elle y voit des nénuphars.

De quel étang s'agit-il ? Quel type de paradis est cet étang ? Comment se nomme l'amie ? Quelle caractéristique ont les grenouilles et les nénuphars de l'étang ? Le texte ne précise rien de tout cela. À toi de le faire !

Étape 1 **Repère les GN du texte puis récris-le en ajoutant une expansion à chaque GN. Pense à varier la façon de les enrichir.**

Étape 2 **Forme une équipe avec deux ou trois camarades. Pour constater la variété des expansions ajoutées aux GN du texte, lisez votre texte à voix haute à tour de rôle.**

4 Les phrases ci-dessous contiennent des GN avec ou sans expansions.

a) Mon cousin Hector construit un repaire secret.

b) Le garçon choisit un arbre solide.

c) Catherine participe aussi à la construction de la cabane.

d) Les dessins de Catherine décorent les murs.

e) Un escalier mène à une porte rouge.

f) Un mot magique permet l'ouverture de la porte.

Étape 1   Classe les GN dans un tableau comme celui ci-dessous.

GN au minimum (sans expansion)	GN avec expansion

Étape 2   Raye d'un trait les expansions contenues dans les GN de la colonne de droite.

Étape 3   Récris les GN de la colonne de droite. Remplace l'expansion que tu as rayée par une autre de ton choix.

Étape 4   Choisis cinq GN parmi ceux que tu viens de récrire. À partir de ces GN, compose trois phrases. Tes phrases n'ont pas besoin d'avoir de lien entre elles.

5 Lis les deux textes suivants.

1. L'aquarium a reçu deux dauphins la semaine dernière. Les bêtes habitent le bassin central. Chaque visiteur observe les dauphins pendant plusieurs minutes.

2. Une exploratrice a découvert des plantes en Amazonie. La scientifique accompagne des biologistes depuis quelques mois. Ils cueillent des plantes pour leurs recherches.

Étape 1   Identifie les groupes du verbe dans les phrases ci-dessus : recopie chaque verbe accompagné du groupe de mots qui le complète obligatoirement.

Étape 2   Compose de nouvelles phrases avec ces verbes. Assure-toi que les GV sont bien construits.

6 **Marina est une fille occupée ! Jette un coup d'œil à son agenda.**

Agenda de Marina						
Semaine du 23 au 29 avril						
Dimanche 23	Lundi 24	Mardi 25	Mercredi 26	Jeudi 27	Vendredi 28	Samedi 29
Anniversaire Maxime (Lui écrire un poème)	Visite chez Maghie Hélène	Dentiste – 16h30	Rencontre chez Claude (Finir recherche)		Ménage de ma chambre (encore !!!)	Inscription cours de natation : piscine de Longueuil

Sur une feuille, enrichis les phrases ci-dessous en leur ajoutant un ou des groupes de mots selon la ou les précisions demandées entre parenthèses. Imagine que nous sommes le mardi 25 avril.

a) Marina ira chez le dentiste. (*Quand ?*)

b) Marina a visité sa grand-mère. (*Quand ?*)

c) Marina a écrit un poème à Max. (*À quelle occasion ?*)

d) Marina ira chez Claude. (*Quand ? Pour quelle raison ?*)

e) Marina fera le ménage de sa chambre. (*Quand ?*)

f) Marina ira s'inscrire au cours de natation. (*Quand ? Où ?*)

7 **Récris ce texte à quadruple interligne. Tu vas ensuite l'améliorer.**

Meg avance dans la forêt. Des bruits la font sursauter. La noirceur enveloppe tout. Les animaux sortent de leur abri. La jeune fille pense à ses parents. Ses vêtements ne la réchauffent plus. La peur est sa seule compagne.

Étape 1 **Améliore le texte de la manière suivante :**

– **choisis trois GN et ajoute-leur une expansion (au crayon bleu),**

– **choisis deux verbes et ajoute-leur une expansion (au crayon rouge),**

– **introduis trois groupes de mots dans les phrases pour préciser** *où*, *quand*, *comment* **ou** *pourquoi* **cela se passe (au crayon vert).**

Étape 2 **Forme une équipe avec deux ou trois camarades. Pour constater la variété des ajouts et la richesse du texte, lisez votre texte à voix haute à tour de rôle.**

Les autres phrases

En transformant une phrase déclarative selon certaines règles, on obtient de nouveaux types de phrases : des **phrases interrogatives**, **exclamatives** ou **impératives**. Ces phrases peuvent aussi être à la **forme négative**.

Quelques constructions sont différentes à l'oral et à l'écrit. Tu apprendras à maîtriser les constructions de la langue écrite.

1. La phrase interrogative

La **phrase interrogative** permet de poser une question à quelqu'un, de l'*interroger*. Apprends à vérifier la construction de ces phrases sans oublier de les ponctuer correctement.

A. Observe la ponctuation d'une phrase interrogative

Phrases déclaratives	Phrases interrogatives
Ton entraînement est terminé. →	Est-ce que ton entraînement est terminé ?
Tu aimes observer le ciel. →	Aimes-tu observer le ciel ?
La navette décolle de Floride vers 10 heures. →	Quand est-ce que la navette décolle de Floride ?

Décris la ponctuation des phrases de gauche et de droite.

- Quel type de phrases se trouve à gauche ?
  Quel signe de ponctuation en indique la fin ?
- Quel type de phrases se trouve à droite ?
  Quel signe de ponctuation en indique la fin ?

Dis dans tes mots à quel signe de ponctuation tu reconnais une phrase interrogative.

> *Dans les phrases des quatre lignes ci-contre, quel type de phrases trouve-t-on ?*

Le mot juste

On appelle **point d'interrogation** le signe **?**

B Observe deux sortes de questions

1re sorte de questions

Est-ce que tu as hâte au décollage ?

Seras-tu responsable d'une mission spéciale ?

L'équipage russe sera-t-il présent ?

Sortiras-tu dans l'espace ?

As-tu peur de ne pas revenir ?

Ta famille te manquera-t-elle ?

2e sorte de questions

À quel âge voulais-tu devenir astronaute ?

De quoi parlerez-vous durant le voyage ?

Où iras-tu ?

Pourquoi fais-tu ce voyage ?

Comment entreras-tu dans la station spatiale ?

Que ressentiras-tu en voyant la Terre de si loin ?

Décris les différences entre les questions de gauche et celles de droite.

• **Pour t'aider, invente une réponse à chaque question. Que remarques-tu ?**

Dis dans tes mots quelles sont les deux sortes de questions.

Le mot juste

Lorsqu'on peut répondre à une question par *oui* ou par *non*, on dira tout simplement qu'il s'agit d'une **question «en oui-non»** (on peut aussi dire une **question fermée**). Les autres questions sont des **questions ouvertes**, on y répond par un groupe de mots ou plusieurs phrases.

As-tu l'heure ?

Oui !

Euh... je veux dire... Quelle heure est-il ?

Onze heures trente-cinq.

C Observe **trois façons de construire une question «en oui-non»**

Phrases déclaratives	Phrases interrogatives
	1
	Est-ce que les astronautes attendent le départ ?
Les astronautes attendent le départ.	Est-ce qu'ils vérifient le fonctionnement des appareils ?
Ils vérifient le fonctionnement des appareils.	Est-ce qu'Axelle commande la navette ?
Axelle commande la navette.	Est-ce qu'elle est prête ?
	2
Elle est prête.	Vérifient-ils le fonctionnement des appareils ?
	Est-elle prête ?
	3
	Les astronautes attendent-ils le départ ?
	Axelle commande-t-elle la navette ?

Décris les changements entre les phrases déclaratives et interrogatives.

- Comment faut-il transformer la phrase déclarative pour obtenir une interrogative :
  - selon le modèle du bloc **1** ?
  - selon le modèle du bloc **2** ?
  - selon le modèle du bloc **3** ?
- Qu'est-ce qui différencie les interrogatives du bloc **2** de celles du bloc **3** ?

Dis dans tes mots quelles sont les trois façons de construire une phrase interrogative «en oui-non» à partir d'une phrase déclarative.

D Observe **la construction des questions ouvertes**

Phrases déclaratives	Phrases interrogatives
1. La navette décolle à un moment qu'on ne connaît pas.	→ Quand la navette décolle-t-elle ?
2. Vous en parlerez à quelqu'un qu'on ne connaît pas.	→ À qui en parlerez-vous ?
3. Vous criez pour une raison qu'on ne connaît pas.	→ Pourquoi criez-vous ?
4. Quelqu'un qu'on ne connaît pas a donné le signal.	→ Qui a donné le signal ?
5. Vous atterrirez à un endroit qu'on ne connaît pas.	→ Où atterrirez-vous ?
6. Vous réparerez le vaisseau avec quelque chose qu'on ne connaît pas.	→ Avec quoi réparerez-vous le vaisseau ?
7. Vous chantez quelque chose qu'on ne connaît pas.	→ Que chantez-vous ?
8. Vous réparerez la navette d'une manière qu'on ne connaît pas.	→ Comment réparerez-vous la navette ?
9. Vous resterez en orbite un nombre de jours qu'on ne connaît pas.	→ Combien de jours resterez-vous en orbite ?

Décris les changements entre les phrases déclaratives et interrogatives.

- Quels sont les mots interrogatifs utilisés dans les phrases interrogatives ?

- Où se trouvent ces mots interrogatifs dans la phrase ?

- Compare la position de l'information inconnue dans les phrases déclaratives et la position des mots interrogatifs. Que remarques-tu ?

- Quels autres changements se produisent lorsqu'on passe des phrases déclaratives aux interrogatives ?

Dis dans tes mots comment on construit une question ouverte.

E Observe **d'autres mots interrogatifs**

Il faut prendre un chemin qu'on ne connaît pas.	→ Quel chemin faut-il prendre ?
Vous posez votre véhicule sur une planète qu'on ne connaît pas.	→ Sur quelle planète posez-vous votre véhicule ?
Vous avez filmé des paysages qu'on ne connaît pas.	→ Quels paysages avez-vous filmés ?
Elle parle de créatures qu'on ne connaît pas.	→ De quelles créatures parle-t-elle ?

Décris les changements entre les phrases de gauche et celles de droite.

- Quel type de phrase se trouve à gauche ? à droite ?
- Quels sont les mots interrogatifs utilisés dans les phrases de droite ?

- Où ces mots sont-ils situés dans la phrase ?
- À quelle classe de mots appartiennent-ils ?
- Quels autres changements se produisent lorsqu'on passe des phrases déclaratives aux interrogatives ?

Dis dans tes mots comment construire ces interrogatives.

F Explore **les différences entre les interrogatives à l'oral et à l'écrit**

Relève deux ou trois questions à l'oral.

- Écoute parler les gens, écoute ta propre façon de parler. Lorsque tu entends une question, écris-la sur un calepin. Note-la exactement comme tu l'as entendue.

Joue à l'espion de la langue !

Fais la liste des phrases interrogatives entendues par les membres de ton équipe.

Compare ces phrases qui viennent de la langue orale aux interrogatives de cette section.

- En quoi sont-elles semblables ? différentes ?

Dis dans tes mots comment transformer les interrogatives de l'oral pour qu'elles suivent un des modèles de l'écrit.

Exercices

⇒ p. 246 à 250

1. **On a besoin de ton aide pour marquer le début et la fin des phrases dans le texte ci-dessous. Recopie le texte en corrigeant sa ponctuation.**

je déménage demain est-ce que j'aurai de nouveaux amis
ma nouvelle école, à quoi ressemblera-t-elle
je suis inquiète est-ce que c'est normal

2 **Lis les phrases déclaratives ci-dessous.**

a) Un ouragan a la forme d'une spirale.

b) L'œil de l'ouragan est le milieu de la tempête.

c) Le ciel est dégagé dans l'œil de l'ouragan.

d) Des chercheurs volent dans l'œil des ouragans.

e) Ils utilisent des avions capables de résister à des vents puissants.

f) Leurs observations servent à prédire la trajectoire des ouragans.

Étape 1 **Transforme les phrases déclaratives** a, b **et** c **pour construire des questions «en oui-non». Utilise la première façon présentée à la page 70.**

Étape 2 **Transforme les phrases déclaratives** d, e **et** f **pour construire des questions «en oui-non». Utilise les autres façons présentées à la page 70.**

Vérifie si tu peux répondre oui ou non à ces questions.

3 **Voici des phrases interrogatives.**

a) Est-ce que le renard polaire vit dans le Grand Nord ?

b) Parcourt-il la toundra ?

c) La toundra est-elle une prairie rase ?

d) Est-ce que le renard polaire se blottit au creux de la neige quand il vente ?

e) Le renard guette-t-il ses proies sous la neige ?

Transforme les questions ci-dessus en phrases déclaratives.

4 Pense à une célébrité que tu aimerais rencontrer. Que voudrais-tu savoir d'elle ?

Étape 1 **Prépare une entrevue avec la célébrité de ton choix. Compose trois questions «en oui-non» et cinq questions ouvertes.**

Étape 2 **Demande à un ou une camarade de jouer le rôle de ta célébrité. Pose-lui tes questions. Ensuite, vous échangerez vos rôles.**

5 Imagine que tu fais lire le texte suivant à une personne qui s'intéresse aux déserts.

Qu'ils soient chauds ou froids, les déserts sont des régions où il pleut rarement. Dans les déserts, les températures sont souvent extrêmes. La végétation est rare. Les déserts couvrent un tiers de la surface des continents. On en trouve sur tous les continents, sauf en Europe. Le Sahara est un désert chaud situé en Afrique. L'Antarctique est un désert froid situé au pôle Sud.

Pour vérifier si la personne a compris ce qu'elle a lu, tu composes cinq questions portant sur le texte. Au moins deux questions seront des questions ouvertes.

6 Lis le texte suivant portant sur la Grande Barrière de corail.

La Grande Barrière de corail se trouve en Australie. Elle mesure 2000 km de long. La Grande Barrière compte 320 îles et plus de 2500 récifs coralliens. La plus grande partie de cette merveille a près de 2 millions d'années. Ceux qui plongent près d'elle la trouvent infiniment belle.

Wilfrid a égaré les cinq questions qu'il a composées sur ce texte. Cependant, il a retrouvé les réponses à ces questions. Les voici :

- **Réponse** *a* : en Australie,
- **Réponse** *b* : 2000 km de long,
- **Réponse** *c* : 320 îles,
- **Réponse** *d* : près de 2 millions d'années,
- **Réponse** *e* : ceux qui plongent près de la barrière.

En t'aidant du texte, reconstruis les cinq questions ouvertes que Wilfrid a posées pour obtenir les réponses ci-dessus.

7 Louise a un peu de mal à construire des phrases interrogatives. Lis son travail.

a) Les fourmis construisent des habitations étonnantes ?

b) Savez-vous qu'elles vivent en société.

c) Tu veux-tu découvrir la maison des fourmis ?

d) Comment que la fourmilière est faite ?

e) Quel est le rôle de la reine dans la fourmilière ?

f) Avez-vous une fourmilière dans votre cour ?

Étape 1 **Forme une équipe avec un ou une camarade. Ensemble, relevez les lettres des phrases mal construites.**

Étape 2 **Récrivez, en les corrigeant, les phrases relevées à l'étape 1.**

8 Observe attentivement l'image ci-dessous et tente d'imaginer ce que se disent les personnages.

Compose six questions à partir de cette image.

a) Trois questions que Tomy pose à Carl-Olivier.

b) Trois questions que Carl-Olivier pose à Tomy.

9 Quels sont les sports préférés de tes camarades de classe ? leurs loisirs ? leurs romans favoris ? Forme une équipe avec un ou une camarade. Ensemble, préparez un sondage d'une dizaine de questions visant à mieux connaître les intérêts de vos camarades.

2. La phrase exclamative

Comme son nom l'indique, la **phrase exclamative** permet de s'*exclamer*, d'exprimer un sentiment, une émotion, de façon plus intense qu'avec une phrase déclarative.

A **Observe** la ponctuation d'une phrase exclamative

Phrases déclaratives	Phrases exclamatives
C'est bruyant.	→ Que c'est bruyant !
Ces bolides sont rapides.	→ Comme ces bolides sont rapides !
Tu pilotes une drôle de voiture.	→ Quelle drôle de voiture tu pilotes !

Compare la ponctuation des phrases déclaratives et exclamatives.

Dis dans tes mots à quel signe de ponctuation tu reconnais une phrase exclamative.

> Le mot juste
>
> On appelle **point d'exclamation** le signe **!**

B Observe la construction d'une phrase exclamative

Phrases déclaratives	Phrases exclamatives
1	
Tu es sportif.	→ Que tu es sportif !
	→ Comme tu es sportif !
C'est génial.	→ Comme c'est génial !
	→ Que c'est génial !
Cette partie est excitante.	→ Que cette partie est excitante !
2	
Vous avez compté un beau but.	→ Quel beau but vous avez compté !
Nous avons remporté une victoire.	→ Quelle victoire nous avons remportée !
Elles sont devenues des championnes.	→ Quelles championnes elles sont devenues !
Elle fait des progrès.	→ Quels progrès elle fait !

Décris les différences entre les phrases déclaratives et exclamatives.

- Comment faut-il transformer la phrase déclarative pour obtenir une exclamative selon le modèle du bloc 1 ? du bloc 2 ?
- Quels sont les mots exclamatifs utilisés dans le bloc 1 ? dans le bloc 2 ?
- À quelle classe appartiennent les mots exclamatifs du bloc 2 ?

Dis dans tes mots comment on construit des phrases exclamatives.

NOTE : Le point d'exclamation est souvent utilisé pour marquer l'émotion avec des expressions, des groupes de mots ou même des phrases qui ne sont pas construites comme des phrases exclamatives. En voici des exemples.

Attention !	Ferme la porte !
Enfin ! On est arrivé !	Viens ici tout de suite !
Ah ! Quelle chaleur !	Zut ! c'est cassé !
Chut !	Quel beau jeu !
Quel bavard !	Bravo !

3. La phrase impérative

La **phrase impérative** exprime un *ordre* ou quelque chose qui est vivement conseillé. Tu trouveras ci-dessous comment la construire et la ponctuer.

A ## Observe la ponctuation de la phrase impérative

Phrases déclaratives	Phrases impératives
1. Tu ranges ta chambre.	→ Range ta chambre !
2. Nous montons tout de suite.	→ Montons tout de suite.
3. Vous décorez la pièce.	→ Décorez la pièce.
4. Vous me faites plaisir.	→ Faites-moi plaisir !
5. Tu choisis la couleur.	→ Choisis la couleur.
6. Nous finissons la peinture.	→ Finissons la peinture.

Compare la ponctuation des phrases déclaratives et impératives.

Dis dans tes mots quels signes de ponctuation peuvent indiquer la fin d'une phrase impérative.

B ## Observe la construction d'une phrase impérative

Relis les phrases du tableau précédent.

Décris les différences entre les phrases déclaratives et impératives.
- Comment a-t-on transformé la phrase déclarative en phrase impérative ?
- Quels mots ont été effacés ? À quelle classe de mots appartiennent-ils ?
- Quelle est leur fonction dans la phrase ?

Dis dans tes mots comment on construit une phrase impérative.

NOTE : Les phrases impératives ont un verbe conjugué au mode impératif. Les phrases impératives du tableau ci-dessus ont toutes un verbe à l'impératif présent. ⟶ p. 274

Exercices

→ p. 246 à 250

1. **Dans le texte ci-dessous, marque le début et la fin des phrases. Recopie le texte en corrigeant sa ponctuation.**

ma cousine Émilie a un nouveau cerf-volant qu'il est beau il a une longue queue il est bleu et rouge comme j'aimerais le faire voler

2 **Voici des phrases déclaratives.**

a) La légende du roi Arthur me fascine.

b) Le roi Arthur a reçu une belle épée magique.

c) Il a été un héros parfait.

d) La reine Guenièvre est belle et courageuse.

e) Les pouvoirs magiques de Merlin l'enchanteur sont fabuleux.

Étape 1 **Transforme les phrases déclaratives ci-dessus en phrases exclamatives selon le modèle de ton choix.**

Étape 2 **Forme une équipe avec un ou une camarade. Ensemble, vérifiez la construction et la ponctuation de vos phrases.**

3 **Observe bien les trois images ci-dessous.**

Invente deux phrases exclamatives pour chaque image.

a) Que dit la petite fille quand elle reçoit sa trottinette ?

b) Que crie le boucher ?

c) Que disent les commentateurs de la course ?

4 **Lis les constructions ci-dessous.**

1. Comme j'aime jouer au ballon-panier !
2. Je jouerais même la nuit !
3. Penses-y !
4. Quel rêve fou !
5. Quel plaisir j'aurais !
6. Surprise !
7. Le ballon-panier nocturne existe déjà !

Toutes les constructions ci-dessus se terminent par un point d'exclamation. Cependant, elles ne sont pas toutes construites comme des *phrases* exclamatives.

a) **Relève le numéro des constructions qui ne sont pas des phrases.**

b) **Relève le numéro des phrases construites comme des phrases exclamatives.**

c) **Relève le numéro des phrases qui ne sont pas construites comme des phrases exclamatives.**

5 **La Terre a ses propres records… Lis les phrases suivantes.**

1. Au mont Wai-'ale-'ale, dans les îles Hawaï, il y a 350 jours de pluie par an.
2. En 1958, une tornade a soufflé à 450 km/h au Texas.
3. La même année, une vague s'est élevée à 524 m de hauteur dans la baie de Lituya en Alaska.
4. Entre le 3 et le 4 avril 1974, 148 tornades ont frappé des États américains.
5. En 1986, des grêlons de un kilogramme sont tombés au Bangladesh.

Étape 1 **Compose une phrase exclamative pour réagir à chaque phrase.**

Exemples de phrases exclamatives pour la première phrase :
Comme le soleil est rare à cet endroit !
Quelle triste température connaît cet endroit !

Étape 2 **Forme une équipe avec un ou une camarade. Vérifiez la construction et la ponctuation de vos phrases.**

6. Recopie le texte ci-dessous en marquant le début et la fin des phrases.

arrête de me déranger je fais mes devoirs j'irai jouer avec toi plus tard n'écris pas sur mon cahier va-t'en maman, dis à Victor de me laisser tranquille

7 **Lis les phrases déclaratives ci-dessous.**

a) Tu vas visiter l'Espagne.

b) Nous préparons le voyage.

c) Vous apprenez l'espagnol.

d) Tu boucles tes valises.

e) Nous allons à l'aéroport.

f) Vous montez dans l'avion.

Transforme les phrases déclaratives ci-dessus en phrases impératives.

Attention à la terminaison des verbes à l'impératif.

8 **Lis le texte ci-dessous.**

1. Voulez-vous une maison fraîche en été ? **2.** Faites pousser du gazon sur le toit. **3.** Étendez quelques centimètres de terre. **4.** Semez du gazon et d'autres végétaux. **5.** Attendez quelques semaines. **6.** Admirez le pré verdoyant sur votre toit ! **7.** Autres avantages : la couche de terre et de verdure isole des bruits de la ville et absorbe le gaz carbonique. **8.** En Suisse, les constructeurs de grands immeubles urbains doivent verdir leur toit. **9.** C'est la loi !

Relève le numéro de toutes les phrases impératives contenues dans ce texte.

Que remarques-tu à propos de la ponctuation des phrases impératives que tu as relevées ?

9 À partir de la suite d'actions suivante, compose un texte qui indique comment attirer les crapauds dans un potager. Toutes tes phrases seront des phrases impératives.

Exemple : D'abord, faire un potager. → D'abord, fais un potager.

Prendre un vieux pot de terre cuite. Coucher le pot sur le côté. Enterrer à moitié ce pot dans le potager. Fabriquer une affiche. Sur l'affiche, écrire «Logement à louer». Installer l'affiche sur la maison à crapaud. Louer la maison au plus gentil crapaud !

10 Tu trouves que les adultes gaspillent l'eau ? Écris une série de conseils pour leur rappeler d'éviter un tel gaspillage. Ta liste comptera cinq phrases impératives.

Pour te donner des idées, pense à ce que font parfois les adultes : laver l'auto ou nettoyer l'asphalte avec un jet d'eau, arroser le gazon même avant la pluie, laver la vaisselle avant de la mettre au lave-vaisselle, etc.

11 La personne qui a écrit le texte ci-dessous a de la difficulté à marquer le début et la fin de ses phrases. Recopie le texte en corrigeant sa ponctuation.

Fabrice Girard

De :   Magali Boisvert
À :   Fabrice Girard < fabrigi@est.com
Envoyé : 15 mars 2002

Allô Fabrice !

aujourd'hui, je ne suis pas allée à l'école j'étais malade comme la journée a été longue avez-vous joué au ballon est-ce que Fannie a retrouvé son lapin réponds vite à mes questions

Magali

---

12 Josée a écrit un texte publicitaire. Elle veut inciter des touristes à tenter une nouvelle expérience. Lis son texte.

1. Tu en as assez des vacances ordinaires. **2.** Tu rêves de découvrir les fonds marins. **3.** Un Canadien vient de mettre au point un petit sous-marin accessible aux touristes. **4.** Tu viens tenter l'aventure.

Il faut l'avouer, le texte de Josée n'est pas très invitant. Récris-le en transformant les phrases 1, 2 et 4 comme ceci :
- **phrase 1 :** phrase interrogative,
- **phrase 2 :** phrase interrogative,
- **phrase 4 :** phrase impérative terminée par un point d'exclamation.

13 Denise ne maîtrise pas tout à fait la ponctuation. Prends connaissance de son travail.

1. Quelle mordue d'astronomie je suis. **2.** Partout où je vais, j'essaie d'apercevoir quelque chose de spécial dans le ciel étoilé. **3.** J'espère souvent voir une aurore boréale ! **4.** Comme c'est spectaculaire. **5.** Quand j'observe le ciel, je ne peux m'empêcher de réfléchir. **6.** L'univers a-t-il une fin. **7.** Est-ce qu'il y a de la vie sur une autre planète ? **8.** Sommes-nous les seuls êtres vivants ? **9.** Que ces questions me fascinent ?

Étape 1   **Relève le numéro des phrases mal ponctuées.**

Étape 2   **Forme une équipe avec un ou une camarade. Entre vous, expliquez oralement les erreurs commises par Denise.**

Étape 3   **Récrivez, en les ponctuant correctement, les phrases relevées à l'étape 1.**

4. Les phrases à la forme positive ou négative

Une **phrase à la forme négative** exprime le contraire d'une phrase positive. On obtient une phrase négative par une transformation de la phrase positive. Apprends à vérifier la construction de tes phrases négatives. Fais attention aux différences entre la langue orale et la langue écrite.

A Observe la construction d'une phrase négative

Phrases à la forme positive	Phrases à la forme négative
1. Tu construis un igloo.	→ Tu ne construis pas un igloo.
2. Mon frère coupe tes blocs de neige.	→ Mon frère ne coupe pas tes blocs de neige.
3. Le plancher est recouvert de peaux.	→ Le plancher n'est pas recouvert de peaux.
4. La température intérieure semble idéale.	→ La température intérieure ne semble pas idéale.
5. Venez voir !	→ Ne venez pas voir !
6. Enlève ton manteau !	→ N'enlève pas ton manteau !
7. Pourquoi veux-tu sortir ?	→ Pourquoi ne veux-tu pas sortir ?

Décris les changements entre les phrases positives et négatives.
- Quels mots indiquent qu'une phrase est négative ?
- Où se trouvent-ils dans la phrase ?

- Quels types de phrases reconnais-tu parmi les phrases positives ?
- Que peux-tu dire de la ponctuation des phrases positives et négatives ?

Dis dans tes mots comment on transforme une phrase positive en phrase négative.

B Observe d'autres mots de négation

1. Je ne veux plus avancer.
   Si tu marches rapidement, tu n'auras plus froid.

---

2. Jolianne n'atteindra jamais le sommet.
   Max ne pense jamais à apporter sa boussole.

---

3. Tu n'as rencontré personne dans le sentier.
   Je ne vois personne au refuge.

---

4. Andrew n'entend rien.
   Jessy ne dit rien.

---

5. Je ne vois aucun guide.
   Tu n'aperçois aucun hélicoptère venant vers nous.

---

6. On n'a aucune raison d'alerter le garde forestier.
   Ce plan ne donne aucune idée de l'endroit où nous sommes.

Repère les mots de négation dans les phrases ci-dessus.

- Dans chaque phrase, combien de mots de négation trouves-tu ?
- Lequel est toujours présent ? Où est-il situé ?
- Quels sont les autres mots qui forment la phrase négative ?
- Lequel de ces mots de négation est un déterminant ?

Dis dans tes mots comment on utilise les mots de négation. Donne un nouvel exemple pour chacun.

C Observe **la position exacte du mot** *ne*

1. Ne va jamais en montagne sans avertir tes parents.
2. Tu as présenté Jeanne à Léon, mais il ne la trouve pas sympathique du tout.
3. Ne le répète à personne !
4. Pauvre Jeanne, on ne lui laisse jamais de chance.
5. Il n'y a plus de vent.
6. SVP, ne pas sortir du sentier.
7. Fragile ! Ne pas piétiner.
8. Nico avance sur les roches pour ne pas marcher sur les fleurs.

Repère le mot de négation *ne* dans chaque phrase.
- Où est-il situé par rapport au verbe ?
- Quels mots peuvent se trouver entre *ne* et le verbe ?
- Quand le mot *pas* peut-il aussi se trouver devant le verbe ?

Dis dans tes mots où se place exactement le mot *ne* dans une phrase négative.

D Explore **les différences entre les phrases négatives à l'oral et à l'écrit**

Relève deux ou trois phrases négatives à l'oral.
- Écoute parler les gens, écoute ta propre façon de parler. Lorsque tu entends une phrase négative, écris-la sur un calepin. Note-la exactement comme tu l'as entendue.

Joue à l'espion de la langue !

Fais la liste des phrases négatives entendues par les membres de ton équipe.

Compare ces phrases qui viennent de la langue orale aux phrases négatives de cette section.
- En quoi sont-elles semblables ? différentes ?

Dis dans tes mots comment tu peux transformer les phrases négatives de l'oral pour qu'elles suivent un des modèles de l'écrit.

Exercices

➡ p. 246 à 250

1. **Mets les phrases ci-dessous à la forme négative.**

   a) Notre école est petite.

   b) Le silence règne à la bibliothèque.

   c) La cour bourdonne d'activité.

   d) Mes camarades viennent à l'école en autobus.

   e) Je les trouve chanceuses.

   f) Pourquoi prennent-elles l'autobus ?

   g) Entrer par la cour.

2. **Imagine que tu as un chien très bien dressé. Tu le fais garder pour la fin de semaine. En cinq phrases, écris ce que Fido ne fait pas. Pense à varier les mots de négation. Tu dois utiliser *ne ... plus* et *ne ... jamais* au moins une fois.**

   Exemples : Fido *ne* sort *jamais* seul.
   Fido *ne* mange *pas* les chaussettes.

3. **Hier soir, David a gardé un enfant capricieux. L'heure du coucher a été pénible...**

   Non ! Je veux pas aller me coucher. Je veux rester avec toi. J'ai trop peur des fantômes sous mon lit. Tu peux pas me laisser seul dans le noir. C'est pas gentil. C'est décidé. Je ne dormirai pas ! Laisse-moi regarder la télévision. Je le dirai jamais à mes parents. Je te dérangerai plus.

   Dans ce texte, y a-t-il des phrases négatives mal construites ? Si oui, récris-les en les corrigeant.

Des structures à surveiller

Voici des règles pour des **structures** de phrases que tu utilises très souvent.

1. La phrase à plusieurs verbes conjugués

Comme tu le sais déjà, pour écrire correctement, tu dois indiquer les limites des phrases avec **une lettre majuscule au début** et **un point à la fin** (ou un point d'interrogation ou d'exclamation). Souvent, les phrases que tu écris contiennent plusieurs verbes conjugués. Dans cette section, ton attention se portera sur les mots qui permettent de regrouper en une seule phrase écrite plusieurs phrases à un verbe. On appelle ces mots des marqueurs de relation.

■ **Observe des marqueurs de relation**

1. J'arrive au parc d'attractions et je découvre les manèges.
2. Nous irons dans les montagnes russes ou nous visiterons la maison hantée.
3. Mon amie Claudine a soif, car nous marchons beaucoup.
4. Elle gagne un gros toutou, mais cela ne m'impressionne pas.
5. J'ai déjà dans ma chambre un gros toutou que mon oncle m'a offert.
6. Claudine offre son toutou à un petit garçon qui pleure.
7. Quand nous sommes dans la grande roue, nous voyons tout le parc.
8. Nous voyons tout le parc quand nous sommes dans la grande roue.

9. Nous avons le vertige lorsque nous regardons au loin.

10. Je crie dans la maison hantée parce que j'ai peur.

11. Nous trouvons un banc à l'ombre pour que Claudine se repose.

12. Je vais chercher deux bouteilles d'eau pendant que Claudine fait la queue.

13. Je rêvais de visiter ce parc depuis que je suis toute petite.

14. Depuis que je suis toute petite, je rêvais de visiter ce parc.

15. J'emporterais mon appareil photo si je pouvais revenir demain.

16. Si je pouvais revenir demain, j'emporterais mon appareil photo.

17. Ce manège est encore plus amusant que la grande roue.

18. Je trouve que cette journée a été formidable.

19. Je me demande si je pourrai revenir demain.

Repère les marqueurs de relation.

- Combien de verbes conjugués trouves-tu dans chaque phrase ci-dessus ?
- Reformule ces phrases en plusieurs phrases complètes à un seul verbe.
- Quel marqueur de relation doit alors être effacé ? Où est-il situé dans la phrase ?
- Que remarques-tu quand le marqueur de relation est au début de la phrase ?

Fais la liste des marqueurs de relation qui permettent d'écrire des phrases contenant plusieurs verbes.

Tu *ne peux pas* utiliser ces marqueurs de relation dans une phrase à un seul verbe. Tu feras une erreur de ponctuation si tu écris : ~~Ma sœur est très contente. Parce qu'elle a fait un tour de manège.~~

Tu dois écrire : Ma sœur est très contente parce qu'elle a fait un tour de manège.

ou encore : Parce qu'elle a fait un tour de manège, ma sœur est très contente.

NOTE : Il existe d'autres marqueurs de relation qui s'utilisent autant dans une phrase à un verbe que dans une phrase à plusieurs verbes. Par exemple : *pourtant, cependant, donc, alors, ensuite...*

Éric voulait nous attendre dehors. Pourtant, il est entré dans la maison hantée.

Il riait pour faire comme les autres, pourtant il était terrorisé.

2. L'énumération dans une phrase

Énumérer, c'est comme dire une liste. Comme tu le verras ci-dessous, on peut énumérer toutes sortes de choses dans une phrase. Mais il y a des règles de construction à suivre !

A **Observe des phrases qui contiennent une énumération**

1. Cette année, Geneviève aimerait découvrir l'Italie, le Pérou, le Tibet ou le Népal.

2. Elle adore gravir des montagnes, coucher à la belle étoile ou rencontrer des gens différents.

3. Des livres, des cartes et des vidéos aideront Geneviève à se préparer.

4. En voyage, elle porte des chaussures robustes, légères et confortables.

5. Pour s'aventurer en forêt, il lui faut du courage, de la prudence et de l'expérience.

6. Devant un ours, Geneviève s'arrête, agite les bras, fait du bruit et recule doucement.

Décris l'énumération dans chacune des phrases ci-dessus.
- Qu'est-ce qu'on énumère ?
- Quels groupes ou classes de mots font partie de l'énumération ?
- Quel signe de ponctuation utilise-t-on à l'intérieur de l'énumération ?
- Que remarques-tu entre les deux derniers éléments énumérés ?

Dis dans tes mots comment construire et ponctuer une énumération dans une phrase.

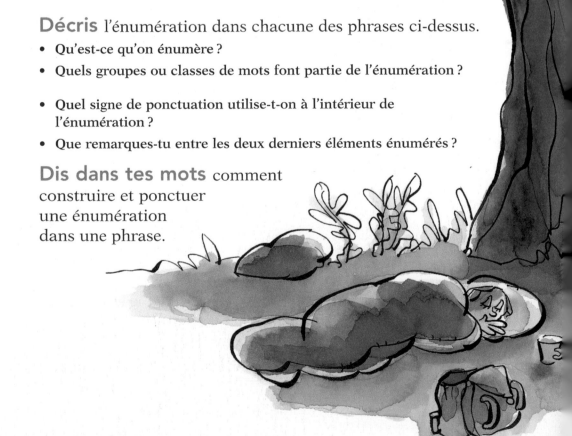

B ## Observe des erreurs à éviter

Ces phrases sont bien construites	Ces phrases sont mal construites
Geneviève voudrait visiter la Lituanie, la Pologne et le Honduras.	~~Geneviève voudrait visiter la Lituanie, Pologne et Honduras.~~
Elle adore ramener des souvenirs comme des masques, de la poterie ou de la confiture de fruits exotiques.	~~Elle adore ramener des souvenirs comme des masques, la poterie ou la confiture de fruits exotiques.~~

Décris les différences entre les phrases bien construites et mal construites.

- Quelles erreurs vois-tu dans les phrases mal construites ?
- Comment peux-tu les corriger ?

Dis dans tes mots quelle erreur éviter quand tu écris une énumération.

Exercices

⟹ p. 251 à 253

1 **Lis les phrases ci-dessous qui portent sur la maison interactive de l'an 2020. Chaque phrase contient deux verbes conjugués.**

a) La maison interactive de l'an 2020 sera extraordinaire parce qu'elle s'entretiendra facilement.

b) Elle aura un équipement de réalité virtuelle pour que toute la famille s'offre des vacances virtuelles exotiques.

c) Les téléphones portables existeront toujours, mais ils transmettront des images.

d) Un équipement spécial évaluera l'état de santé d'une personne quand elle sera sous la douche.

Récris chaque phrase en la séparant en deux phrases complètes à un seul verbe. Vérifie bien la ponctuation.

2 **Lis les couples de phrases ci-dessous. Chaque phrase ne comporte qu'un verbe conjugué.**

a) Il faut des centaines de personnes pour construire un gratte-ciel. Ce travail est difficile.

b) Des architectes dessinent les plans d'un gratte-ciel. Le gratte-ciel comptera 48 étages.

c) Les plombiers installent la tuyauterie. Les électriciens passent des kilomètres de fil.

d) La construction est longue. Le travail est minutieux.

En utilisant les marqueurs de relation suivants, combine les deux phrases en une seule longue phrase à deux verbes conjugués. Vérifie qu'elle a du sens.

qui   car   et

   pendant que   parce que

Attention à la nouvelle ponctuation !

3 Recopie le texte qui suit et corrige bien la ponctuation. Tu peux aussi ajouter un marqueur de relation ou en déplacer.

Ma chambre est un lieu tranquille. Où je lis en paix. Quand je veux être tranquille je ferme la porte de ma chambre. Je m'installe dans mon lit. Mon chat Soho vient me rejoindre. Je tente de lire. Ce n'est pas facile. Pendant que je le flatte. Soho se roule sur le dos. il frappe mon livre avec sa grosse patte. Lorsqu'il veut jouer.

4 **Observe les images suivantes.**

Le contenu du sac
à dos de Laure

Les fruits et les légumes
préférés de Pierre-Luc

Les ingrédients requis
pour faire un gâteau

À partir de chaque image, compose une phrase dans laquelle tu énumères les éléments illustrés.

5 **Écris un petit message de cinq phrases dans lequel tu te présentes. Ton texte doit contenir les énumérations suivantes :**

a) tes quatre sports préférés;

b) tes trois animaux préférés;

c) le nom de trois pays que tu voudrais visiter.

PARTIE 3
Réussir les accords

Toutes les règles d'accord présentées dans ce manuel suivront la même démarche. Cette démarche te servira aussi quand tu corriges les accords dans les textes que tu écris. La voici.

Dans le manuel, tu apprends:

1. Comment identifier la classe des mots visés par la règle d'accord.

2. Comment mettre en relation les mots qui doivent s'accorder.

3. Comment faire l'accord en écrivant les marques appropriées.

Quand tu corriges tes textes, demande-toi, pour chaque mot:

1. À quelle classe appartient-il? Cette classe est-elle visée par une règle d'accord? laquelle?

2. Avec quel mot ou groupe de mots doit-il s'accorder?

3. Quelle finale est appropriée pour marquer l'accord?

Ce que tu apprendras sur les règles d'accord te servira chaque fois que tu écris, pendant toute ta vie... Ça vaut la peine de prendre le temps de bien comprendre!

Tu découvriras plusieurs moyens pour réussir chaque étape.

Avant de commencer

Tu dois connaître le sens de certains mots qu'on utilise en grammaire. Ces mots ont souvent, en grammaire, un sens qui n'est pas exactement celui que tu connais.

Accord… classe… groupe… *Comprends-tu bien ces mots ?*

La classe, le groupe, la fonction

Dans la vie de tous les jours

— Tu es un ou une élève dans une **classe** de 2ᵉ cycle primaire.

— À la maison, on te demande peut-être de **classer** les ustensiles propres dans le tiroir.

— À l'école, il t'est sans doute arrivé de **classer** des objets selon des caractéristiques comme la forme (ronde, carrée, triangulaire…) ou la couleur (rouge, jaune, bleue…)

En grammaire

On parle de **classe** de mots. Les **noms**, les **déterminants**, les **verbes**… sont des classes de mots.

On a **classé les mots** du français selon diverses caractéristiques. Les mots qui appartiennent à une même classe ont en commun une ou des caractéristiques qui permettent de les différencier des autres classes de mots.

Une **classe** de mots, c'est une **catégorie** de mots.

- Pourquoi dit-on une *classe d'élèves* ? Qu'est-ce que les élèves de ta classe ont en commun ?
- Que fais-tu quand tu *classes* les ustensiles ? Est-ce que les fourchettes forment une classe d'ustensiles ? Pourquoi ? Est-ce qu'on utilise cette expression «classe d'ustensiles» dans la vie de tous les jours ?
- Que veut dire l'expression *classe de mots* ?

Dans la vie de tous les jours

Tu fais sûrement partie d'un **groupe**, peut-être de plusieurs groupes : une équipe de basket, le club des débrouillards... Tu as ton groupe de musique préféré, ton groupe d'amis ou d'amies...

En grammaire

Les mots forment d'abord des **groupes** de mots, puis ces groupes forment une phrase.

Dans chaque groupe de mots, il y a toujours un mot principal (on l'appelle le *noyau*) qui donne son nom au groupe. Si le noyau du groupe appartient à la classe des *verbes*, on parle de **groupe du verbe** ; si le noyau est un *nom*, on parle de **groupe du nom**.

Il arrive que le noyau soit tout seul dans son groupe, qu'il y ait seulement un *nom* dans un *groupe du nom* !

- De quels groupes fais-tu partie ? Y a-t-il toujours une personne principale dans chaque groupe ?
- Peux-tu parler de groupe s'il n'y a qu'une seule personne ?
- Quelles ressemblances vois-tu dans l'utilisation du mot *groupe* en grammaire et dans la vie de tous les jours ? Quelles sont les différences ?

Dans la vie de tous les jours

M. Alaoui est le directeur de l'école Vitavie. Son **rôle** ou sa **fonction** dans l'école est d'être directeur. Dans sa famille, il a le rôle ou la **fonction** de père pour ses enfants et de conjoint pour sa femme. Le samedi matin, M. Alaoui occupe encore une autre **fonction** : il est l'entraîneur de l'équipe de soccer de son quartier.

M. Alaoui sera toujours un homme, mais dans sa vie, il occupera peut-être d'autres fonctions.

En grammaire

Le même *groupe du nom* peut avoir un rôle ou une **fonction** dans une phrase et une autre fonction dans une autre phrase.

Par exemple, *le gros autobus jaune* est un groupe du nom. Il occupe la fonction de sujet de la phrase dans : *Le gros autobus jaune* roule lentement.

Il occupe la fonction de complément du verbe dans la phrase : *Zoé attend le gros autobus jaune.*

Que sa fonction soit sujet ou complément, le groupe *le gros autobus jaune* reste toujours un **groupe du nom**.

- Qu'est-ce qu'une fonction dans la vie de tous les jours ?
- Quelles fonctions occupent ton père, ta mère ?

- Quelle comparaison fait-on entre *M. Alaoui* et *le gros autobus jaune* ?
- Quelles sont les différences, en grammaire, entre une classe de mots, un groupe de mots et la fonction d'un groupe de mots ?

Accord, genre, nombre, personne

Dans la vie de tous les jours

— Tu viens jouer au ballon avec nous ?

— D'**accord** ! J'arrive tout de suite.

Ces deux pays ont signé un **accord** de paix.

Les musiciens d'un orchestre doivent **s'accorder** avant de jouer une pièce.

En grammaire

Quand deux mots **s'accordent** ensemble, un des mots donne à l'autre ses *caractéristiques*.

Dans une **règle d'accord,** il y a toujours deux et seulement deux *caractéristiques* qui sont transmises à d'autres mots : soit le **genre** et le **nombre,** soit la **personne** et le **nombre.**

C'est à la fin du mot qu'on écrit les marques de ces *caractéristiques* de genre, de personne ou de nombre.

L'autre jour, Gaelle a vu un **genre** de bestiole à trois pattes très bizarre.

Ce n'est pas son **genre** de laisser traîner ses affaires partout.

En grammaire, il y a deux **genres** : le *féminin* et le *masculin*. Très souvent, le **genre** féminin ou masculin d'un mot n'a rien à voir avec le fait d'être un homme ou une femme, un mâle ou une femelle !

Dans la vie de tous les jours	En grammaire
La fête de l'école a été un succès. Les parents sont venus en grand **nombre**.	On parle de **nombre** *singulier* ou *pluriel*. Singulier veut dire «un seul», pluriel veut dire «deux ou plus». C'est aussi simple que ça!
On parle beaucoup des **nombres** en mathématiques: 45, 271 et 8 sont des nombres.	
Il n'y a **personne** ici.	La **personne** en grammaire correspond parfois à une vraie personne, mais le plus souvent ce n'est pas le cas: par exemple, le nom *crayon* est de la 3e personne! Tu approfondiras cette notion au chapitre 9 de ton manuel.
Il y avait plusieurs **personnes** qui attendaient devant le cinéma.	

- Compare le sens des mots *accord*, *genre*, *nombre* et *personne* dans la vie de tous les jours et en grammaire. Leur sens est-il le même?
- En quoi leur sens est-il différent en grammaire?

Le mot juste

Certaines classes de mots sont visées par les règles d'accord tandis que les autres classes ne sont jamais touchées par ces règles.

- Les classes de mots visées par une règle d'accord (par exemple le *nom*, le *déterminant*, le *verbe*...) **donnent** ou **reçoivent** des caractéristiques de *genre*, de *nombre* ou de *personne*. On dit que ces **mots** sont **variables** parce qu'ils s'écrivent un peu différemment selon les *caractéristiques* qu'ils donnent ou reçoivent.

- Les classes de mots qui ne sont jamais touchées par une règle d'accord sont **invariables**: ces mots s'écrivent toujours de la même façon.

Tu peux maintenant passer à l'attaque et comprendre les règles d'accord de cette grande partie!

L'accord dans le groupe du nom

Tu sais qu'on dit *un cheval, des chevaux*… mais connais-tu l'histoire du *x* dans les mots comme *chevaux*? Cette histoire s'est déroulée sur plusieurs centaines d'années! Pour bien la comprendre, il faut distinguer la façon de prononcer le mot et la façon d'écrire le mot.

L'HISTOIRE DU *X* DE CHEVAUX

La façon de prononcer le mot	La façon d'écrire le mot
Il y a 1000 ans environ	

On prononçait toutes les lettres dans:
   un cheval, des chevals
(comme si tu disais des «chevalses»).

D'une génération à l'autre, la manière de dire «als» s'est transformée petit à petit pour devenir «aus» (prononcé comme le mot anglais «house»).

On disait donc «chevaus».

Bien avant qu'on invente l'imprimerie, les scribes copiaient les livres à la main. Ça prenait du temps!

Ils écrivaient *chevals*.

Dans ce temps-là, la manière d'écrire les mots suivait à peu près la façon de les dire.

Les scribes écrivaient alors *chevaus*.

chevalses!

La façon de prononcer le mot	La façon d'écrire le mot
Un peu plus tard...	
On continuait à dire «chevaus» (prononcé chev«house»).	Pour recopier plus rapidement, on utilisait des signes d'abréviation. Le x n'était pas encore une vraie lettre mais représentait l'abréviation des lettres *us*. Quand un mot se terminait par -*us*, on écrivait -*x*.
	On écrivait alors *un cheval, des chevax*.
Au cours des siècles...	
La prononciation de *au* (comme dans l'anglais «house») s'est encore transformée pour devenir le son «o».	Les gens ont oublié que *x* représentait les lettres *us*!!! On a rajouté la lettre *u* dans *chevax* pour écrire comme aujourd'hui: *chevaux*.
Les gens n'ont plus prononcé le -*s* du pluriel.	La lettre -*x* est devenue une marque du pluriel comme le -*s*.
Aujourd'hui	
On dit donc «chevo»...	Et on écrit toujours *chevaux*!

Qu'en sais-tu, qu'en penses-tu?

Crois-tu qu'il serait plus facile d'écrire le -*s* du pluriel si on le prononçait? Pourquoi?

Pourquoi écrit-on encore des accords qu'on n'entend pas à l'oral?

Que sais-tu de l'accord dans le *groupe du nom*?

- Quelles classes de mots dois-tu savoir reconnaître?
- Quels moyens utilises-tu pour réussir les accords?

T'arrive-t-il d'oublier un -s? C'est normal à ton âge! Apprends à réviser tes textes comme on te l'enseigne dans ce chapitre pour devenir imbattable pour l'accord dans le groupe du nom.

1. Repérer le groupe du nom

Avant de penser à l'accord, tu dois t'assurer d'avoir bien repéré tous les mots qui s'accordent dans le groupe du nom. Tu apprendras donc dans les pages qui suivent comment reconnaître les **noms**, les **déterminants** et les **adjectifs**.

1.1 Le nom

Le **nom** est une classe de mots qu'il est très important de bien reconnaître. Le nom joue un rôle dans presque toutes les règles d'accord ! Tu dois savoir utiliser certaines caractéristiques du nom pour les identifier dans les phrases que tu écris.

A Observe les noms communs et les noms propres

C'est la **nuit**. Le **silence** règne. La **lune** éclaire **Dolbeau**. Par une **fenêtre**, **Mathis** et **Charlotte** regardent dans la **cour** de **Rodolphe Bernier**. Un **objet** réfléchit la **lumière** de la **lune**. On dirait un **coffre** blanc, assez petit. La **serrure** dorée brille. Une **inscription** attire l'**attention** des **enfants**. «Ceci est le **trésor** de **dame Ocazou**. Ne pas l'ouvrir. À livrer chez **Agrippine** la **sorcière**, sur la **route** de **Péribonka**.» (À *suivre*)

Dans ce texte, les noms sont en couleur.

Classe les noms du texte dans un tableau comme celui ci-dessous.

Nom qui commence par une lettre majuscule = Nom ?	Nom qui commence par une lettre minuscule = Nom ?

- Pourquoi certains noms s'écrivent-ils avec une lettre majuscule ?

Cherche dans le dictionnaire les divers sens du mot *propre*.

- Quel est le sens de *propre* lorsqu'on parle d'un *nom propre* ?

Complète ton tableau : écris *Nom propre* et *Nom commun* en haut de la colonne appropriée.

- Si quelqu'un te demande : «Comment t'appelles-tu ?» que vas-tu répondre ? Est-ce un nom propre ou un nom commun ?
- Si on te demande quel est ton lieu de naissance, répondras-tu par un nom propre ou un nom commun ?
- Ajoute ces noms dans la colonne appropriée.

Repère les mots qui sont devant les noms communs du texte.

- Que remarques-tu ?
- Vois-tu ces mêmes mots devant les noms propres ?
- Lis le texte en effaçant ces mots. Que se passe-t-il ?

Dis dans tes mots tout ce que tu sais des noms propres et des noms communs.

B Observe **un moyen de repérer les noms communs**

« Je sais où livrer ce coffret, dit la fillette à son frère. Allons-y ! »
Leur curiosité est plus forte que la prudence… Sans avertir leur
famille, nos aventuriers prennent la boîte, puis chacun enfourche
son vélo. Ils font une pause à Mistassini. Bien plus tard, ils
arrêtent devant une jolie maison près de Sainte-Jeanne-d'Arc.
Ils déposent le colis sur les marches. Soudain, la sorcière ouvre
la porte.

« Ce paquet est-il pour moi ? » (*À suivre*)

Repère les noms communs dans le texte ci-dessus.

- Quels noms communs as-tu repérés ? Fais une liste.
- Quel moyen as-tu utilisé pour les reconnaître ?

Vérifie si tu as bien identifié tous les noms communs du texte.

- Quels mots du texte se disent bien après *un*, *une*, *du* ou *des* ?
- Fais ce test pour chaque mot du texte.
  Exemple : …cet important moment arrive enfin.

Cela ne se dit pas bien : le mot n'est pas un nom	Cela se dit bien : le mot est un nom
Un ~~important~~ ? une ~~important~~ ?	Un *moment*

Le mot **important** n'a pas passé le test. Ce mot n'est pas un nom.

Le mot **moment** a passé le test. C'est un nom commun.

Complète ta liste en ajoutant les noms communs que tu avais oubliés.

- Est-ce que *un*, *une*, *du* ou *des* est toujours présent dans le texte devant ces noms ? Explique ta réponse en donnant des exemples.

Dis dans tes mots quel moyen tu peux utiliser pour repérer les noms communs.

C Observe les noms porteurs de genre

un chien	un copain	un cousin	un père	une sœur
une mère	une vache	une danseuse	une jument	une dame
une fée	un monsieur	un infirmier	une chatte	un frère

Classe les noms ci-dessus selon leur genre : dans un tableau, écris tous les noms précédés de *un* dans une même colonne et tous ceux précédés de *une* dans une autre colonne.

Nom ? (précédé de *un*)	Nom ? (précédé de *une*)

- Qu'est-ce que les noms précédés de *un* ont en commun ? et ceux précédés de *une* ?
- Quels noms sont du genre féminin ? du genre masculin ? Pourquoi ?
- Écris *Nom féminin* et *Nom masculin* en haut de ton tableau à l'endroit approprié.

Dis dans tes mots ce qui différencie les noms féminins et masculins de ton tableau.

D Observe encore le genre des noms

la lune	un accident	une course	le ciel	une colère
un balai	un rideau	une plante	le temps	la beauté
le soleil	une porte	un ballon	une chicane	un jardin

Classe ces noms dans le même tableau selon leur genre.
- Les noms féminins ont-ils quelque chose à voir avec les femmes ou les femelles ?
- Vois-tu une relation entre les noms masculins et les hommes ou les mâles ?
- Essaie de dire ces mots en changeant leur genre, par exemple : *la soleil*… Est-ce que ça se dit bien ? Quelles sont tes conclusions ?

Dis dans tes mots tout ce que tu connais sur le genre des noms.

NOTE : En français, les **noms** sont soit *féminin*s, soit *masculin*s. Il n'y a pas vraiment de raison pour qu'un nom soit féminin ou masculin sauf quand il désigne un être vivant.

Si tu parles une autre langue que le français à la maison, tu dois apprendre par cœur le genre de chaque nom et c'est facile de se tromper !

E Observe les noms porteurs de nombre

Agrippine essaie ses baguettes magiques. Sa baguette verte ouvre la serrure. Le trésor est surprenant : des feuilles blanches, des enveloppes blanches et quelques crayons. La déception se lit sur les visages. Soudain, la magicienne voit une enveloppe bleue : «La recette pour vivre heureux». Ses mains tremblent. Elle lit le message bleu. Sa colère explose : «Zut de zut !!! Ce n'est pas cela que j'attendais ! Des recettes comme celle-là ne me rendront jamais riche et puissante !»

Elle laisse tomber les papiers et entre chez elle. «Pour être heureux, il suffit d'avoir des amis», révèle le message bleu… Sur ces mots très sages, les cyclistes prennent le chemin du retour.

Repère tous les noms dans le texte.

Classe-les selon leur nombre dans un tableau comme celui ci-dessous.

Nom singulier	Nom pluriel
(Dans la phrase, on parle d'un… ou d'une…)	*(Dans la phrase, on parle de plusieurs…)*

Choisis quelques noms au singulier. Compose des phrases qui utilisent ces mots mais au pluriel.

Choisis quelques noms au pluriel : utilise-les au singulier dans des phrases que tu inventes.

- Est-ce que les noms peuvent se dire aussi bien au singulier qu'au pluriel ?
- De quoi dépend le nombre d'un nom ?

Dis dans tes mots comment tu sais qu'un nom est singulier ou pluriel.

1.2 Le déterminant

Tu sais déjà que les mots *le, la, les, un, une, du, des* se disent devant un nom commun. Tu les utilises pour vérifier qu'un mot est bien un nom commun. Ces mots font partie de la classe des **déterminants**. Tu vas maintenant connaître d'autres déterminants.

A Observe les déterminants

Je pars pour **mon** île, il, il
J'emporte **mon** trésor, zor, zor
Il compte **plein de** merveilles, eille, eille
Mais **aucun** perce-oreille, eille, eille

Je prends **plusieurs** grenouilles, ouille, ouille
J'invite **quelques** chats, a, a
Beaucoup de souris, i, i
Et **deux** petits rats, a, a

Je choisis **trois** pommiers, yé, yé
J'emprunte **tes** couleurs, eur, eur
Je cueille **des** marguerites, ite, ite
Et **plusieurs** tulipes, ipe, ipe

Bien sûr **mon** île à moi, oi, oi
A aussi **ses** merveilles, eille, eille
Elle laisse **son** trésor, zor, zor
Sur **le** bord de l'eau, eau, eau

Vois **ces** plages dorées, é, é
L'ombre de **ce** palmier, é, é
La mer et **tes** sourires, ire, ire
Et **les** vagues si douces, ouce, ouce

Fais la liste des déterminants en gras dans le texte.

- Quels déterminants connaissais-tu déjà ?
- Quels déterminants sont nouveaux pour toi ?

Prouve qu'il s'agit bien de déterminants.

- Chaque déterminant est-il devant un nom ? Lequel ?
- Peux-tu effacer chaque déterminant ? Est-ce que la nouvelle phrase se dit bien ?
- Peux-tu remplacer chaque déterminant par un autre que tu connais bien comme *le, la, les, un, une, du* ou *des* ? Est-ce que la nouvelle phrase se dit bien ?

Dis dans tes mots ce que tu peux faire pour prouver qu'un mot est un déterminant.

Complète la liste des déterminants.

- Par quels autres mots peux-tu remplacer *un*, *une* ou *des* dans les groupes du nom suivants ?

  un cheval   une maison   des amis

B **Observe** les déterminants annonceurs de nombre

TEXTE 1

Aujourd'hui, **aucun** nuage à l'horizon. **Une** activité se prépare : **la** chasse **au** trésor **du** quartier. **Quelle** joie ! Il a fallu **beaucoup de** temps pour organiser **cet** événement. À **chaque** équipe, **ma** sœur donne **une** enveloppe contenant **un** indice. **Notre** chef est confiant : **cette** fois, **aucune** équipe ne trouvera **le** trésor avant nous ! Je me demande bien **quel** trésor nous découvrirons. L'année dernière, c'était **un** cerf-volant caché dans **un** baril. Et dans **ce** baril, il y avait **plein de** farine ! Mathieu et **son** équipe ont travaillé fort pour récupérer **leur** cerf-volant.

TEXTE 2

Aujourd'hui, **beaucoup de** nuages menacent d'éclater et **des** rafales secouent **les** arbres. Peu importe, **trois** courses se dérouleront comme prévu dans **les** sentiers près de chez moi. **Ces** compétitions sont très populaires. On distribue **aux** participants **plein de** bouteilles d'eau. **Mes** sœurs participent à **plusieurs** courses. Elles portent **leurs** vêtements rouge vif. **Nos** voisins courront aussi. **Quelques** spectateurs assistent **aux** départs. Je me demande **quels** records seront battus et **quelles** médailles remporteront **mes** sœurs.

Classe tous les déterminants des textes 1 et 2 dans un tableau comme celui ci-dessous.

Déterminant qui annonce un nom singulier	Déterminant qui annonce un nom pluriel

Repère, dans ton tableau, les déterminants qui se prononcent de la même façon au singulier et au pluriel. Souligne-les.

- Lesquels s'écrivent de la même façon au singulier et au pluriel ?
- Lesquels s'écrivent différemment au singulier et au pluriel ?

Lorsqu'on n'entend pas de différence entre le singulier et le pluriel d'un déterminant, il est facile de se tromper en l'écrivant et de faire une erreur d'accord dans tout le groupe du nom.

Recopie la note suivante au bas de ton tableau:

Attention ! Les déterminants soulignés sonnent de la même façon au singulier et au pluriel.

Dis dans tes mots comment tu peux te servir de ton tableau lorsque tu écris ou corriges un texte.

C **Observe les déterminants annonceurs de genre**

Relis les déterminants de ton tableau sur le nombre.

Fais le test suivant pour chaque déterminant:

- Est-ce qu'il se dit bien à l'oral devant un nom masculin (ex.: ... *garçon*, ou ... *tableau*) ?
- Devant un nom féminin (ex.: ... *fille* ou ... *maison*) ?
- Devant les deux (un nom masculin ou féminin) ?

Classe les déterminants dans la colonne appropriée d'un tableau comme celui ci-dessous.

Déterminant qui annonce le genre		Déterminant qui n'annonce pas le genre
Annonce un nom féminin	*Annonce un nom masculin*	*Se dit avec un nom féminin ou masculin*
Exemple: une fille	Exemple: un garçon	Exemples: des filles, des garçons

- Que remarques-tu à propos des déterminants notés dans la 3e colonne ?

Dis dans tes mots comment tu peux te servir de ton tableau lorsque tu écris ou corriges un texte.

D Observe des cas particuliers

l'aéroport	l'ascenseur	l'éléphant	l'hélicoptère
l'aiguille	l'autobus	l'épingle	l'histoire
l'ami	l'avion	l'escalier	l'homme
l'amie	l'école	l'étoile	l'oreiller

Nomme le genre de ces noms précédés du déterminant *l'*.

- Pour quels noms peux-tu remplacer le déterminant *l'* par *un* ? par *une* ? (En cas de doute, consulte un dictionnaire.)

- Qu'est-ce qui explique qu'on utilise *l'* et non *le* ou *la* ?

Remplace le déterminant *l'* par *mon*, *ton* ou *son*.

- Que constates-tu ?

- Dans ton tableau sur les déterminants annonceurs de genre, où avais-tu classé *mon*, *ton* et *son* ?

- Pourquoi dit-on *mon*, *ton* ou *son* devant ces noms même féminins ?

Psitt ! C'est pour la même raison que le l' ...

Dis dans tes mots les règles particulières à propos des déterminants *l'*, *mon*, *ton* et *son*.

Ajoute ces règles particulières dans ton tableau.

1.3 L'adjectif

L'**adjectif** est une autre classe de mots qui se trouve très souvent dans le groupe du nom. On peut voir l'adjectif comme un grand ami du nom. Découvre pourquoi.

A Observe **les adjectifs dans un texte**

TEXTE 1	TEXTE 2
Félix va à la plage avec ses cousines. Ils enfourchent les vélos, longent le sentier et arrivent au centre. Sur la plage, ils marchent dans le sable. Ensuite, ils s'avancent dans la mer. Les vagues les emportent vers le large. Quelle aventure!	Félix va à la plage publique avec ses cousines japonaises. Ils enfourchent les vieux vélos, longent le sentier piétonnier et arrivent au centre équestre. Sur la plage polluée, ils marchent dans le sable noir. Ensuite, ils s'avancent dans la mer glacée. Les vagues houleuses les emportent vers le large. Quelle terrible aventure!

Décris les différences entre les textes 1 et 2.
- Quel texte te permet le mieux de voir dans ta tête le film de l'histoire?
- Fais la liste des mots qui ont été ajoutés dans le texte 2. Écris ces mots en colonne au milieu de la page.

     Par exemple :   publique
                      japonaises
                      vieux
                      ...

Le mot juste

Les mots ajoutés dans le texte 2 sont tous des **adjectifs**.
Ces mots te permettent de mieux imaginer l'histoire.

Repère le mot que chaque adjectif décrit ou précise. Écris-le à l'endroit approprié sur ta liste, à gauche ou à droite :

     plage   publique
     cousines   japonaises
                    vieux   vélos

- Ces mots appartiennent à quelle classe?
- Où se trouvent les adjectifs par rapport à ces mots?

Dis dans tes mots ce que tu connais des adjectifs.

Observe **l'accord de l'adjectif**

1) un grand coquillage blanc
un méchant requin
un sentier naturel

2) une grande vague blanche
une méchante pieuvre
une fleur naturelle

3) des grands coquillages blancs
des méchants requins
des sentiers naturels

4) des grandes vagues blanches
des méchantes pieuvres
des fleurs naturelles

Repère les noms, les déterminants et les adjectifs dans les blocs 1 à 4.

• Quel est le genre (masculin ou féminin) de chaque nom ?

• Quel est le nombre (singulier ou pluriel) de chaque nom ?

Décris les changements entre les blocs 1, 2, 3 et 4.

• Que se passe-t-il lorsqu'on remplace *coquillage* par *vague* ? *requin* par *pieuvre* ? *sentier* par *fleur* ?

• Que se passe-t-il quand on remplace *coquillage* par *coquillages* ? *requin* par *requins* ?

• Quand faut-il écrire *grand* ? *grande* ? *grands* ? *grandes* ?

Dis dans tes mots ce qui fait varier la fin de l'adjectif.

Le mot juste

On dit que l'**adjectif s'accorde** avec le nom qu'il décrit en prenant le même *genre* et le même *nombre*. L'adjectif est donc une classe de mots **variable**.

Le **nom** est un **donneur** de genre et de nombre et l'**adjectif** reçoit ces caractéristiques, c'est un **receveur**. En fait, on peut même dire qu'un nom *oblige* les autres mots de son groupe (les déterminants et les adjectifs) à prendre le même genre et le même nombre que lui.

On peut aussi s'imaginer que l'adjectif admire tellement le nom de son groupe qu'il se colle à lui et copie ses «habits» de genre et de nombre !

Comprends-tu maintenant pourquoi on a dit que l'adjectif est comme un grand ami du nom ?

Cherche le sens des mots *adjacent* et *adjoint* dans le dictionnaire. Explique la ressemblance de sens entre ces mots et le mot *adjectif*.

Observe **les différences entre l'oral et l'écrit**

Relis les adjectifs des blocs 1 et 2 de la page précédente.

- Quel est le genre et le nombre des adjectifs du bloc 1 ? du bloc 2 ?

Compare ce que tu entends à l'oral avec ce que tu vois à l'écrit.

- Lorsqu'un adjectif est dit au masculin puis au féminin, entends-tu toujours une différence ?
- Quelle différence vois-tu à l'écrit ?
- Que peux-tu faire pour savoir si un adjectif est masculin ou féminin lorsque tu n'entends pas de différence ?

Relis les adjectifs des blocs 1 et 3, puis 2 et 4.

- Entre les blocs 1 et 3, les adjectifs changent-ils en genre ou en nombre ?
- Entre les blocs 2 et 4, quel changement observes-tu ?

Compare ce que tu entends à l'oral avec ce que tu vois à l'écrit.

- Lorsqu'un adjectif est dit au singulier puis au pluriel, entends-tu toujours une différence ?
- Quelle différence vois-tu à l'écrit ?
- Que peux-tu faire pour savoir si un adjectif est singulier ou pluriel lorsque tu n'entends pas de différence ?

Dis dans tes mots comment tu trouves le genre et le nombre d'un adjectif même lorsque cela ne s'entend pas.

D Observe **un test pour vérifier qu'un mot est un adjectif**

Dans la phrase suivante, on se demande quels mots sont des adjectifs. Pour le savoir, on fait passer un test à ces mots !

Cette sculpture en métal très originale aura un jour une vraie place dans un musée québécois.

Cela se dit bien: le mot est un adjectif	Cela ne se dit pas bien: le mot n'est pas un adjectif	
une personne *originale* un personnage *original* une chose *originale* un objet *original*	~~une personne *très*~~ ~~une personne *trèse*~~ ~~un personnage *très*~~	~~une chose *très*~~ ~~une chose *trèse*~~ ~~un objet *très*~~
une *vraie* chose un *vrai* objet	~~une personne *métal*~~ un personnage métal	~~une chose *métal*~~ ~~un objet *métal*~~
une personne *québécoise* un personnage *québécois*		

Les mots **originale, vraie** *et* **québécois** *ont passé le test. Ce sont des adjectifs.*

Les mots **très** *et* **métal** *ne passent pas le test. Ces mots ne sont pas des adjectifs.*

Décris comment on procède pour vérifier qu'un mot est vraiment un adjectif.

- Quels mots utilise-t-on chaque fois dans ce test ?
- Où est placé le mot qu'on veut vérifier ? Pourquoi ?
- Pourquoi utilise-t-on au moins une fois le féminin et une fois le masculin ?
- Explique pourquoi les groupes de mots à droite ne se disent pas bien.

Dis dans tes mots quelles sont les deux caractéristiques de l'adjectif utilisées dans ce test.

Récapitule

- Écris une procédure qui t'aide à bien repérer tous les mots d'un **groupe du nom** et à trouver son *genre* et son *nombre*. Réfléchis bien à l'ordre dans lequel tu dois procéder.

- Remplis un tableau comme celui ci-dessous qui te servira d'aide-mémoire.

Pour repérer un groupe du nom et trouver son genre et son nombre		
Étape :	Quoi faire	Comment... • Les moyens à utiliser • Les documents à consulter
n° 1		
n° 2		
n° ...		

Exercices

⟾ p. 254 à 259

Avant d'aller plus loin

Pour repérer les GN, tu dois identifier chaque **nom**, puis chercher si un **déterminant** l'accompagne et, enfin, vérifier si un ou des **adjectifs** décrivent ce nom.

Voici les traces à écrire pour montrer que tu as bien fait le travail.

1. Quand tu repères un **nom** :
- Encercle-le et écris N dessous.
- Dans ta tête, prouve qu'il s'agit bien d'un nom commun.

> **Du courage…** *ça se dit bien,* **courage** *est un nom !*

Exemple : Son (courage) exceptionnel me réjouit.
              N

2. Quand tu repères un **déterminant** :
- Écris D dessous.
- Dans ta tête, prouve qu'il s'agit bien d'un déterminant.

> *Au lieu de* **Son**, *je peux dire* **Le** *courage.*

Exemple : Son (courage) exceptionnel me réjouit.
              D   N

3. Quand tu repères un **adjectif** :
- Écris A dessous.
- Dans ta tête, prouve qu'il s'agit bien d'un adjectif.

> *Un objet* **exceptionnel**

Exemple : Son (courage) exceptionnel me réjouit.
              D   N   A

4. Souligne maintenant tout le **GN** et écris GN dessous.

Exemple : Son (courage) exceptionnel me réjouit.
              D   N   A
                   GN

1. Voici une liste de noms. Lis-la.

actrice, admiration, air, ami, bonheur, célébration, chameau, cobra, colère, courage, course, douleur, esprit, froid, galerie, gazon, honte, idée, jambon, kilomètre, lecture, lendemain, mémoire, parent, patinage, policier, question, sentier, spectacle

Étape 1 Classe les noms dans un schéma semblable à celui ci-dessous.

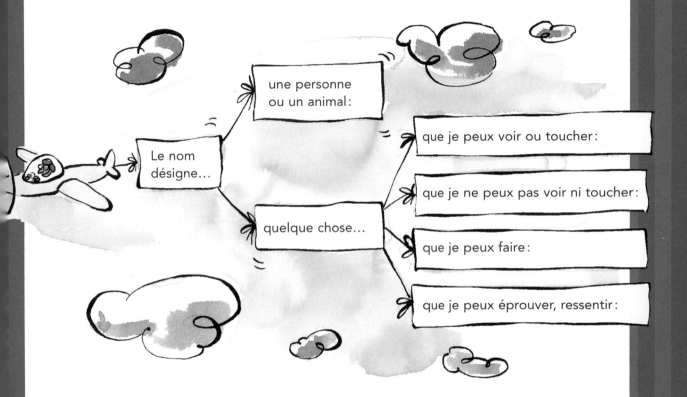

Le nom désigne…

une personne ou un animal :

quelque chose…

que je peux voir ou toucher :

que je ne peux pas voir ni toucher :

que je peux faire :

que je peux éprouver, ressentir :

Devant chaque nom, place le bon déterminant parmi les suivants : *un*, *une* ou *du*.

Étape 2 Dans chaque rectangle de ton schéma, ajoute trois noms de ton choix.

2. Des noms, tu en connais beaucoup. Tente le petit jeu suivant.

a) **Choisis une lettre de l'alphabet.**

b) **En dix minutes, trouve le plus de noms possible commençant par cette lettre. Prouve qu'il s'agit bien d'un nom en l'écrivant avec un déterminant devant.**

3. **Choisis le concours auquel tu aimerais participer.**

Concours qu'on court

Participe au concours de ton choix !

A • Fabrication du plus beau bonhomme de neige

B • Construction de la plus jolie cabane dans un arbre

C • Création du plus étrange déguisement

Étape 1 **Dresse la liste de tout le matériel nécessaire pour participer au concours de ton choix.**

Étape 2 **Sur ta liste, repère tous les noms. Pour chacun, laisse des traces de ton raisonnement.**

4. **Lis le texte ci-dessous portant sur les types de forêt du Québec.**

La belle forêt mixte se compose d'un joli mélange d'arbres feuillus et de conifères. Elle se trouve au sud du Québec, surtout dans les régions administratives de l'Estrie, des Laurentides et de la Montérégie.

Les épinettes et les sapins sont les principales espèces de la forêt boréale. Cette forêt foncée couvre une grande portion du territoire québécois, surtout au nord, dans les régions administratives de l'Abitibi-Témiscamingue et du Saguenay—Lac-Saint-Jean.

Dans la région du Nord-du-Québec, on trouve la forêt subarctique. Elle est surtout composée de petites épinettes dispersées. Dans les espaces très froids de cette région, la forêt cède la place à la toundra, une immense étendue où il ne pousse que de la mousse et des herbes.

Photo : P. Larose   Photo : MRN   Photo : MRN   Photo : Hydro-Québec

Sur une feuille, transcris tous les GN qui contiennent un ou des adjectifs. Identifie le nom, le déterminant et le ou les adjectifs.

5 Lis les GN ci-dessous.

l'action, l'ambulance, l'annonce, l'autobus, l'avion, l'éclair, l'équipe, l'erreur, l'espace, l'espèce, l'étage, l'hélicoptère, l'hôpital, l'incendie, l'invention, l'océan, l'opinion, l'orage, l'oreille, l'oreiller, l'orteil, l'urgence

Étape 1 Classe ces GN dans un tableau semblable au suivant :

GN dont le nom est féminin	GN dont le nom est masculin

Comment as-tu procédé pour classer les GN ?

Étape 2 Forme une équipe avec un ou une camarade. Comparez vos réponses. Vérifiez dans le dictionnaire tous les cas dont vous doutez.

Étape 3 Ensemble, ajoutez cinq GN de votre choix dans chaque colonne du tableau. Chaque nom doit être employé avec l'.

6. Forme le plus de GN possible à partir des noms *couleur*, *cheveu*, *chien*, *école* et *centre*. Chaque nom sera accompagné d'un déterminant et précisé par un ou deux adjectifs.

Voici quelques GN formés à partir du nom table : une table rectangulaire, une table basse, une longue table, une petite table ovale, une vieille table grise...

7. Lis le court texte ci-dessous.

Notre planète est un joyau. Cet espace immense avec des climats variés fascine les humains depuis toujours. On étudie ses mers, ses montagnes, ses forêts, ses déserts. La belle nature a encore beaucoup de secrets.

Étape 1 Récris ce texte à quadruple interligne et souligne tous les GN. Laisse des traces pour les noms, les déterminants et les adjectifs que tu repères.

Étape 2 Forme une équipe avec un ou une camarade. Ensemble, vérifiez vos réponses en justifiant oralement vos raisonnements.

8. **Lis la comptine suivante.**

Mon renard se couche trop tard
Tes fourmis mangent du riz
Un cobra effraie Thomas
Huit scorpions gardent un donjon

Des antilopes galopent
Quelques chats sont dans mes bras
Ta brebis veut des radis
Ma grenouille est une andouille

Récris la comptine en remplaçant le premier GN de chaque ligne par un GN de ton choix. Ajoute un adjectif dans chacun de tes GN.

9. **À toi de corriger un texte d'élève! Vois le travail qui a été fait pour repérer les GN.**

2. Les marques d'accord dans le groupe du nom

Te voici à la dernière étape pour réussir l'accord dans le groupe du nom: écrire les marques de cet accord.

> Marquer l'accord, c'est prouver que tu es un as de l'écrit!

2.1 Le genre masculin ou féminin des noms et des adjectifs

Apprends bien toutes les **marques de genre masculin ou féminin** présentées dans cette section. Fais attention à celles qui ne s'entendent pas.

A   Observe les noms qui varient en genre

François revient de l'école. Il est dans le métro. Il serre son sac sur sa poitrine. L'écolier se méfie: on pourrait vouloir lui voler son sac... Il regarde le voyageur à sa droite. Le passager semble endormi. Il observe la voyageuse à sa gauche. Cette passagère paraît plongée dans son roman. Soudain, une grande écolière avance rapidement vers le jeune. «Pas mon sac!» crie le garçon pris de panique. Étonnée, elle passe à côté de l'enfant en se demandant pourquoi il est si nerveux. Après tout, elle ne fait que rejoindre son ami à l'autre bout du wagon. Calmé, François ouvre son sac, écarte ses cahiers et tâte son trésor: une lettre de Françoise, sa tendre amie.

Repère tous les **noms** dans le texte ci-dessus.
- Lesquels apparaissent dans le texte sous deux genres, au masculin et au féminin?
- Lesquels n'ont qu'un genre, soit masculin, soit féminin?

Classe les noms du texte dans un tableau comme celui ci-dessous.

Noms qui varient en genre *Le nom masculin se transforme au féminin*		Noms qui ne varient pas en genre	
Forme au masculin	Forme au féminin	Nom toujours masculin	Nom toujours féminin

Dis dans tes mots ce qui différencie les noms qui varient en genre de ceux qui ne varient pas.

B **Observe** la règle générale pour former le féminin

TEXTE 1

Germain est un orphelin. Il marche avec Denis, son cousin, un petit rouquin. C'est un ami loyal. Son sourire taquin lui donne un air jovial. Ensemble, ils vont à leur repaire souterrain, un tunnel abandonné. Un joli rideau végétal en cache l'accès. Devant, ils trouvent un lapin blessé. Denis fait un acte médical. Le lapin guéri décide de rester. Il adopte le rouquin et l'orphelin !

TEXTE 2

Germaine est une orpheline. Elle marche avec Denise, sa cousine, une petite rouquine. C'est une amie loyale. Sa bouche taquine lui donne une mine joviale. Ensemble, elles vont à leur cachette souterraine, une caverne abandonnée. Une jolie tapisserie végétale la décore. Devant, elles trouvent une lapine blessée. Denise se sert de ses connaissances médicales. La lapine guérie décide de rester. Elle adopte la rouquine et l'orpheline !

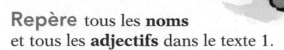

Repère tous les **noms** et tous les **adjectifs** dans le texte 1.
- Lesquels sont utilisés au féminin dans le texte 2 ?

Classe les noms et les adjectifs utilisés dans les deux textes dans un tableau comme celui ci-dessous.

	Forme au masculin	**Forme au féminin**
Noms	Germain	Germaine
Adjectifs	petit	petite

Décris comment un nom ou un adjectif au masculin se transforme au féminin.

- Quels changements observes-tu à l'écrit ?
- Quels changements entends-tu à l'oral, quand tu dis les mots à voix haute ?
- Quels mots se prononcent de la même façon au masculin et au féminin ?

Dis dans tes mots la règle générale qui permet de marquer le féminin d'un nom ou d'un adjectif à l'écrit.

Un bon moyen pour te souvenir de la consonne muette d'un nom ou d'un adjectif à l'écrit: pense à sa forme au féminin. Par exemple : ron**d**, au féminin, on entend le **-d**, **ronde**.

C Observe des règles particulières pour former le féminin

La colonelle est une femme ponctuelle. Elle promène sa chienne. Cette dalmatienne se prend pour la patronne. Elles croisent une collégienne rondelette et sa minette. GRRRRROUAAAAAA !!! La coquette chatonne rugit comme une grosse lionne !

Repère tous les **noms** et les **adjectifs** dans ce texte.
- Quel est leur genre ?

Classe-les dans un tableau comme celui ci-dessous. Regroupe les mots qui se terminent par le même son.

Forme au masculin		Forme au féminin	
Noms	**Adjectifs**	**Noms**	**Adjectifs**

Complète le tableau avec les formes au masculin. Pour t'aider, consulte un dictionnaire.

Décris comment ces noms ou ces adjectifs au masculin se transforment au féminin.
- Quels changements observes-tu à l'écrit ? à l'oral ?

Dis dans tes mots les règles que tu as trouvées pour marquer le féminin de ces noms et adjectifs.

Exceptions à apprendre par cœur
gris → grise, précis → précise   (lorsqu'on entend le son [z] au féminin, la lettre *s* n'est pas redoublée)
complet → complète, inquiet → inquiète, prêt → prête, secret → secrète

Es-tu prêt à partir ? Es-tu prête à continuer ?

D Observe d'autres règles particulières pour former le féminin

a) un fier écolier
un jardinier gaucher
le premier pompier étranger
un équipier très léger

b) un veuf actif, vif, attentif
un Juif sportif

c) un amoureux heureux,
curieux, furieux, sérieux,
chanceux

d) un beau jumeau
il est nouveau
un agneau

e) un directeur protecteur
un aviateur très séducteur
un explorateur dominateur

f) un chanteur charmeur
un voleur batailleur
un blagueur menteur
un baigneur tapageur

Trouve le féminin des **noms** et **adjectifs** ci-dessus. Au besoin, consulte un dictionnaire.

Remplis un tableau comme celui ci-dessous. Regroupe les noms et les adjectifs qui se forment de la même façon au féminin.

D'autres règles de formation du féminin des noms et des adjectifs		
Forme au masculin	**Forme au féminin**	**Règle**
a) *Noms* : écolier… *Adjectifs* : fier…	écolière… fière…	
b) *Noms* : *Adjectifs* :		

Dis dans tes mots les différentes règles que tu as observées pour passer du masculin au féminin.

Exceptions à apprendre par cœur
vieux → vieille

Et quelques autres adjectifs qui ont une forme particulière au féminin :

blanc → blanche   fou → folle   long → longue

franc → franche   mou → molle

E Observe des mots qui sont pareils au masculin et au féminin

Au camp, il y avait une discipline militaire. Au signal d'une responsable, on sortait du dortoir d'un pas militaire et on se mettait de la crème solaire ! Notre guide était une alpiniste extraordinaire. Avec elle, nous avons fabriqué un cadran solaire, nous avons repéré l'étoile polaire et nous avons organisé une visite historique. C'était bien !

Vladimir, mon ami, a été malchanceux. Il s'est pris pour un alpiniste extraordinaire et s'est foulé une cheville. Un guide l'a conduit à l'hôpital. Vlad en est ressorti avec une canne jaune et rouge... Ce fut un moment historique pour lui ! Au camp, un responsable a installé Vlad dans un canot jaune et rouge, puis lui a prêté un livre sur l'ours polaire.

Repère tous les noms et adjectifs masculins qui gardent la **même forme au féminin**.

Dis dans tes mots pourquoi on n'ajoute pas de *-e* au féminin de ces noms et adjectifs.

Exceptions à apprendre par cœur
Noms masculins qui ont un **féminin complètement différent :** garçon / fille, homme / femme, père / mère, oncle / tante, taureau / vache...

2.2 Le nombre singulier ou pluriel des noms et des adjectifs

Pour finaliser l'accord dans le groupe du nom, tu dois marquer le **nombre singulier** ou **pluriel** des adjectifs et des noms. Tu dois bien y réfléchir chaque fois que tu écris ou corriges un texte, car les **marques du pluriel** s'entendent rarement. Dans cette section, on te présente les règles pour former le pluriel des noms et des adjectifs avec leurs exceptions que tu dois savoir par cœur.

A Observe la règle générale pour marquer le pluriel

TEXTE 1

Quel rêve fou! Je pilote un petit ovni triangulaire avec mon kangourou électronique. Je t'envoie un bisou virtuel et je photographie ton sourire angélique. Je fabrique un épouvantail interactif avec un ordinateur multimédia. Je n'oublie aucun détail important. J'invente une idée farfelue, je vois une image floue. Je tourne une vidéo historique. Je survole un iglou où dorment un paisible toutou et un féroce matou. J'écoute la radio spatiale. Un bogue détraque mon gouvernail. Ouf! Je me réveille, épuisée.

TEXTE 2

Quels rêves fous! Je pilote des petits ovnis triangulaires avec mes kangourous électroniques. Je t'envoie des bisous virtuels et je photographie tes sourires angéliques. Je fabrique des épouvantails interactifs avec des ordinateurs multimédias. J'oublie plusieurs détails importants. J'invente des idées farfelues, je vois des images floues. Je tourne des vidéos historiques. Je survole des iglous où dorment deux paisibles toutous et trois féroces matous. J'écoute des radios spatiales. Des bogues détraquent mes gouvernails. Ouf! Je me réveille, épuisée.

Repère tous les **noms et adjectifs au singulier** dans le texte 1.

Repère maintenant ces mêmes mots **au pluriel** dans le texte 2.

Classe-les dans un tableau comme celui ci-dessous.

	Au singulier	Au pluriel
Noms		
Adjectifs		

Décris comment un nom ou un adjectif au singulier se transforme au pluriel.

- Quels changements observes-tu à l'écrit?
- Entends-tu des changements à l'oral quand tu dis les mots à voix haute?

Dis dans tes mots la règle générale pour marquer le pluriel d'un nom ou d'un adjectif.

B Observe une règle particulière pour marquer le pluriel

TEXTE 1	TEXTE 2
Au bulletin télévisé régional, un cheval de bois, la souris d'un terminal informatique et un orignal empaillé ont réclamé le droit d'être entendus par le tribunal de l'animal... Ils ont lancé un signal de détresse et réclamé l'appui gouvernemental. Leur représentant principal, un aigle royal, a déclaré en faisant un geste théâtral : «Tout animal, animé ou non, est génial, loyal et amical. C'est tout! Merci!»	Aux bulletins télévisés régionaux, des chevaux de bois, les souris des terminaux informatiques et des orignaux empaillés ont réclamé le droit d'être entendus par les tribunaux des animaux... Ils ont lancé des signaux de détresse et réclamé des appuis gouvernementaux. Leurs représentants principaux, des aigles royaux, ont déclaré en faisant des gestes théâtraux : «Tous les animaux, animés ou non, sont géniaux, loyaux et amicaux. C'est tout! Merci!»

Repère tous les noms et adjectifs qui se terminent par *-al* **au singulier** dans le texte 1.

Repère ces mêmes mots **au pluriel** dans le texte 2.

Classe-les dans un tableau comme celui ci-dessous.

	Au singulier	Au pluriel
Noms		
Adjectifs		

Dis dans tes mots la règle particulière pour marquer le pluriel d'un nom ou d'un adjectif en *-al*.

- Quelques noms en **-al** suivent quand même la règle générale :

  des bals, des carnavals, des festivals, des récitals,
  et quelques adjectifs : des accidents **fatals**, des examens **finals**,
  des combats **navals**.

- Les noms en **-ail** suivent aussi la règle générale du –s
  (un chandail → des chandails) sauf quelques-uns qui se transforment
  en **-aux** au pluriel :

  un corail → des coraux, un émail → des émaux,
  le travail → les travaux, le vitrail → les vitraux.

C Observe **d'autres règles particulières pour marquer le pluriel**

TEXTE 1	TEXTE 2
«J'ai un marteau, un étau et un grand morceau de bois. Avec tout cela, construisons un radeau ! propose un souriceau.	«J'ai trois marteaux, deux étaux et quelques grands morceaux de bois. Avec tout cela, construisons des radeaux ! propose un des souriceaux.
— Bonne idée ! s'exclame son neveu.	— Bonne idée ! s'exclament ses neveux.
— Nous voguerons sur le ruisseau, ajoute le plus jeune lionceau.	— Nous voguerons sur les ruisseaux, ajoute le plus jeune des lionceaux.
— Pour le voyage, il faudra prévoir du gâteau, un poireau et un jeu ! rappelle le renardeau.	— Pour le voyage, il faudra prévoir des gâteaux, des poireaux et des jeux ! rappellent les renardeaux.
— Vraiment, ce bateau sera notre nouveau joyau !» décide le louveteau.	— Vraiment, ces bateaux seront nos nouveaux joyaux !» décident les louveteaux.

Repère, dans le texte 2, les noms et adjectifs qui se terminent par
-*x* au pluriel.

- **Quelle est leur forme au singulier dans le texte 1 ?**

Classe-les dans un tableau comme celui ci-dessous.

	Au singulier	Au pluriel
Noms		
Adjectifs		

Dis dans tes mots la règle qui permet de savoir à quels noms et adjectifs on doit ajouter un *x* au pluriel.

Exceptions à apprendre par cœur

- Quelques rares noms suivent plutôt la règle générale :

  des bleus, des pneus, des landaus.

- Les noms en **-ou** suivent la règle générale du -*s* (un cou → des cous) sauf quelques-uns qui prennent un -*x* au pluriel :

  des bijoux, des cailloux, des choux, des genoux, des hiboux, des joujoux, des poux.

D **Observe des mots qui sont pareils au singulier et au pluriel**

Un mystérieux lynx a invité deux rats gris à déjeuner. Dans sa cuisine, le gros chat se frotte le nez en se demandant ce qu'il servira : «Une perdrix, une noix, un radis ou un petit pois ? Hier, j'ai mangé quatre perdrix, quelques noix, des radis délicieux et douze petits pois. Pour changer, je pourrais préparer… un délicieux rat gris !»

Les gros rongeurs entendent tout. Leurs jolis nez frissonnent d'horreur.

— Les mystérieux lynx nous préfèrent toujours dans leur assiette ! s'exclame un des rongeurs. Fuyons !

Repère tous les noms et adjectifs **singuliers** qui ont la **même forme au pluriel**.

Dis dans tes mots comment se terminent les noms et adjectifs qui ne changent pas au pluriel.

Récapitule les règles pour marquer le **genre** et le **nombre** des **noms** et des **adjectifs**.

Pour réussir l'accord en genre et en nombre dans le **groupe du nom**, construis un tableau aide-mémoire de toutes les règles que tu connais. Inscris toujours quelques exemples.

POUR MARQUER LE GENRE FÉMININ DES NOMS ET ADJECTIFS	
Règle générale pour passer du masculin au féminin :	

Règles particulières	Exceptions
N° 1 :	
N° 2 :	

POUR MARQUER LE NOMBRE PLURIEL DES NOMS ET ADJECTIFS	
Règle générale pour passer du singulier au pluriel :	

Règles particulières	Exceptions
N° 1 :	
N° 2 :	

Exercices

p. 260 à 261

Avant d'aller plus loin

Dans les exercices ci-dessous, on te demandera souvent de vérifier les accords dans les groupes du nom (GN). Chaque fois, tu devras laisser des traces. Voici comment faire.

1. Repère chaque GN.
   - Utilise dans ta tête les moyens que tu connais pour identifier chaque nom. Encercle chaque nom trouvé.
   - Trouve le déterminant qui accompagne chaque nom et écris D dessous.
   - Vérifie si un ou des adjectifs décrivent chaque nom. Écris A sous le ou les adjectifs.
   - Souligne tout le groupe du nom et écris GN sous le trait.

2. Trouve le genre et le nombre de chaque nom. Écris-les sous le nom et à côté de GN.

3. Vérifie les marques de genre et de nombre dans tout le groupe du nom : le nom, le déterminant et les adjectifs. Corrige si nécessaire.

Exemple : Deux célèbre (plongeuse) viennent de découvrir

      D A f.pl.   N f.pl.

            GN f.pl.

beaucoup de (trésor) inestimable .

     D   N m.pl.   A m.pl.

         GN m.pl.

1. **Lis la petite annonce ci-dessous.**

   Un petit chat amical partagerait son maître distrait avec un gros chien pantouflard. S'adresser au coiffeur ou au boulanger.

   a) **Sur une feuille, récris le texte puis repère les GN. Laisse les traces nécessaires.**

b) **Récris trois versions de ce court texte :**
- la première au masculin pluriel;
- la deuxième au féminin singulier;
- la dernière au féminin pluriel.

2. **À toi de corriger une copie d'élève. Vérifie les accords dans les GN.**

3. **Voici une liste de mots au singulier. Sur une feuille, recopie-la en une colonne.**

automobile, beau, bijou, bleu, boyau, cabane, cadeau, caribou, chandail, cheval, cheveu, épouvantail, familial, feu, final, glacial, hivernal, jeu, maison, mardi, neveu, nez, nouveau, pneu, riz, tapis, téléphone, traîneau, travail, trou, troupeau, vœu, voyou

Consulte le tableau des règles à appliquer pour marquer le pluriel des noms et des adjectifs.

Étape **1**

a) **À côté de chaque mot, écris quelle est la règle à appliquer pour former son pluriel. Si c'est une exception, écris-le et précise à quelle règle.**

b) **Ensuite, écris ce mot au pluriel.**

Exemples

Mot au singulier	Règle ou exception à la règle	Mot au pluriel
clou	générale	clous
journal	1	journaux
radis	3	radis
gâteau	2	gâteaux
carnaval	exception à la règle 1	carnavals

Étape **2** **Choisis six mots dans la liste. À partir de ces mots, compose six phrases. (Tes phrases n'ont pas besoin d'avoir un lien entre elles.) Au moins trois des six mots doivent être au pluriel.**

Étape **3** **Révise tes phrases et vérifie les accords dans les GN. Laisse les traces nécessaires.**

4. Voici une liste de mots au masculin.
Sur une feuille, recopie-la en une colonne.

acteur, actif, adoptif, beau, capable, chat, concentré, conteur, cruel, doux, enfant, épais, explorateur, fier, franc, gardien, gêné, généreux, glouton, inquiet, jardinier, magicien, magique, mou, naturel, neuf, nouveau, prêt, secret, sorcier, surpris, vif, visiteur

Consulte le tableau des règles à appliquer pour marquer le féminin des noms et des adjectifs.

Étape 1

a) À côté de chaque mot, écris le numéro de la règle à appliquer pour former son féminin. Si c'est une exception, écris-le et précise à quelle règle.

b) Ensuite, écris ce mot au féminin.

Exemples

Mot au masculin	Règle ou exception à la règle	Mot au féminin
joli	générale	jolie
pompier	2	pompière
champion	1	championne
jaune	9	jaune

Étape 2 Choisis cinq mots au féminin dans la liste. À partir de ces mots, compose cinq phrases. (Tes phrases n'ont pas besoin d'avoir un lien entre elles.) Pour au moins trois des cinq mots, le féminin doit se prononcer comme le masculin.

Étape 3 Révise tes phrases et vérifie les accords dans les GN. Laisse les traces nécessaires.

5. Voici quelques mots au féminin. Recopie-les sur une feuille.

amusante, blanche, grosse, lente, longue, méchante, muette

a) Dans chaque mot, raye la marque du féminin.

b) Dis les mots masculins à haute voix. Que remarques-tu à propos de leur dernière consonne ?

6. Écris une comptine rigolote.

Étape 1 Ta comptine aura huit lignes :

a) Les deux premières se termineront par les lettres *ou*.

b) Les lignes 3 et 4 se termineront par les lettres *al*.

c) Les lignes 5 et 6 se termineront par les lettres *oux*.

d) Les deux dernières, par les lettres *aux*.

Étape 2 Révise ta comptine, vérifie les accords dans les GN.

7 Pense à ce que tu as de plus précieux. Cela peut être un objet, un animal, une personne ou un rêve.

Étape 1 Rédige un texte de cinq phrases dans lequel tu décris ton trésor. Plusieurs GN de ton texte seront au singulier.

Étape 2 Repère tous les GN dans ton texte. Dans chacun, essaie d'ajouter un adjectif. p. 286

Étape 3 Vérifie les accords dans les GN.

Étape 4 Forme une équipe avec un ou une camarade.

a) Échangez vos textes.

b) Récrivez le texte de votre camarade en mettant au pluriel le plus grand nombre possible de GN.

3. L'accord dans le GN: des cas difficiles

Fais attention aux difficultés présentées dans cette section et tu réussiras tous les accords dans le groupe du nom.

A Observe divers cas difficiles

Le babillard d'*HEBDO-SORCIÈRES*

- Des sorcières curieuses et inexpérimentées doivent résoudre un problème assez délicat. Pour obtenir un sac de billes, elles ont ensorcelé des crapauds. Malheureusement, elles ont obtenu un sac à souliers… Vous pouvez les aider ? Si oui, n'hésitez pas à le faire.

- Sur Internet, nous avons trouvé des recettes vraiment rares. Essayez celle de la potion paralysante. On la trouve à l'adresse suivante : abracadabra.magie.

- Des balais rapides et sécuritaires seront bientôt disponibles. Les essayer, c'est les adopter !

- Nous vous rappelons que les chapeaux trop pointus peuvent causer des blessures si vous marchez tête baissée…

- Des magiciens forts et courageux ont réussi à capturer un dragon à griffes. «Ce fut difficile. Parfois, on a vu rouge !!! Mais maintenant, on chante fort, c'est la fête, a déclaré un chasseur. Depuis hier, on fête avec nos familles et nos amis.»

- Mode express : La sorcière parisienne porte ses robes rouges et courtes. Enfin, la sorcière moderne ouvre la porte à la fantaisie !

Repère tous les GN dans ce texte : identifie les déterminants, les noms et les adjectifs qui les composent.

Fais la liste de ces GN.

Compare ta liste avec celle d'un ou d'une camarade. Avez-vous la même ? Vérifiez votre liste de GN.

- Quelles ont été vos difficultés ?

Lis les difficultés décrites dans le tableau suivant.

DIFFICULTÉS

1. Le nom n'a pas de déterminant :
 	
un coffre à **crapauds**
  D   N   N
    GN   GN

2. L'adjectif est éloigné du nom qu'il décrit :
 	
  a) il est relié à un autre adjectif par *et* :
    des crapauds boutonneux **et gluants**
    D   N   A   A
           GN
 	
  b) il y a un mot invariable entre le nom et l'adjectif :
    des crapauds **complètement** visqueux
    D   N   A
          GN

3. Des mots qui n'appartiennent pas toujours à la même classe :
 	
  a) un déterminant qui n'est pas toujours un déterminant :
    Voici **leur balai**.   Raspoutin **leur** jette un sort.
      D   N   ✗
       GN
 	
  b) un nom qui n'est pas toujours un nom :
    Elle adore **la danse**.   La sorcière **danse** avec son crapaud.
      D   N   ✗
       GN
 	
  c) un adjectif qui n'est pas toujours un adjectif :
    Les hommes forts résistent…   Les sorciers crient **fort**.
    D   N   A   ✗
      GN

Repère dans *Le babillard d'*HEBDO-SORCIÈRES tous les cas qui correspondent aux réalités décrites. Ajoute ces difficultés dans un tableau comme celui ci-dessus.

Dis dans tes mots ce que tu peux faire pour éviter une erreur d'accord pour chacun de ces cas difficiles.

B Observe l'adjectif en dehors du GN

> Dans une phrase, on peut aussi trouver un adjectif en dehors du GN mais si tu le repères, tu sauras l'accorder.

TEXTE 1

Hier soir, j'ai trouvé une chatte triste avec des pattes mouillées. Ce matin, elle dort sur mon oreiller. Je regarde dormir ma mignonne Brinbelle à la queue longue et aux moustaches noires. Voilà une chatte heureuse ! Ma gentille mère veut que nous l'adoptions !

TEXTE 2

Hier soir, j'ai trouvé une chatte. Elle semblait triste. Ses pattes étaient mouillées. Ce matin, elle dort sur mon oreiller. Je la regarde dormir. Comme elle est mignonne, ma Brinbelle ! Sa queue est longue et ses moustaches sont noires. Elle paraît heureuse avec nous. Ma mère est gentille, elle veut que nous l'adoptions !

Repère les GN qui contiennent un adjectif dans le texte 1.

Repère les mêmes adjectifs dans le texte 2.

Compare la position des adjectifs dans les textes 1 et 2.
- Où sont-ils situés dans le texte 1 ? dans le texte 2 ?
- Quels mots se trouvent devant les adjectifs (à leur gauche) dans le texte 2 ?

Trouve, d'après le sens du texte 2, ce que chaque adjectif décrit.

- Lesquels de ces mots sont des noms ?
- Lesquels sont des mots qui remplacent un nom ?

Compare le genre et le nombre des adjectifs du texte 2 avec le genre et le nombre des mots qu'ils décrivent.

- Que remarques-tu ?

Dis dans tes mots comment repérer et accorder un adjectif en dehors du GN.

Récapitule

- Prépare une affiche aide-mémoire sur les **cas difficiles** d'**accord dans le GN** et sur l'**accord de l'adjectif en dehors du GN**.

- Pour chaque cas identifié ci-dessus, trouve de nouveaux exemples.

Exercices

p. 262 à 264

1. **Lis le début du poème de Jacques Prévert intitulé *Cet amour.***

Cet amour
Si violent
Si fragile
Si tendre
Si désespéré
Cet amour
Beau comme le jour
Et mauvais comme le temps
Quand le temps est mauvais
Cet amour si vrai
Cet amour si beau
Si heureux
Si joyeux
[…]

Jacques Prévert, *Paroles*,
© Éditions Gallimard, 1972

Étape 1

a) **Dans ce texte, repère le nom qui est répété plusieurs fois. Précise son genre et son nombre. Écris-le sur une feuille ou dans ton cahier avec son déterminant. Recopie ensuite cette phrase et complète-la :**

Dans ce texte, le nom qui est répété plusieurs fois est … ; il est précédé du déterminant …

b) **Plusieurs adjectifs décrivent ce nom. Repère-les et fais-en la liste.**

Étape 2   Récris le texte.

a) **Remplace *Cet amour* par *Ces amitiés.***

b) **Assure-toi que tous les adjectifs qui décrivent *amitiés* reçoivent les bonnes marques de genre et de nombre.**

2 Lis le texte suivant.

Alice a trouvé une précieuse plume bleue. Elle appartient à un étrange oiseau magique. La fillette la garde dans une boîte à secrets. Quand Alice presse la plume très fort entre ses doigts, elle voit apparaître l'oiseau. Autour d'un feu, il danse en étendant une aile. Sa danse lente et belle peut guérir le chagrin d'amour.

Étape 1 Dresse la liste des GN que comporte ce texte. Pour chaque GN, laisse les traces nécessaires.

Étape 2 Sur une feuille, récris ce texte en mettant au pluriel le plus de GN possible. Commence ton texte comme ceci : *Alice et sa sœur ont trouvé deux très précieuses...*

Étape 3 Révise le texte que tu viens d'écrire et vérifie les accords dans les GN.

3 À toi de corriger un texte qui contient des erreurs d'accords dans les GN !

L'accord du verbe

Une hirondelle veut convaincre son petit de voler.

— C'est tout simple, mon ange. Tu étends les ailes et tu prends ton élan. Veux-tu essayer ?

— Jamais ! C'est trop dangereux ! s'exclame l'oisillon.

— Regarde ta sœur. Elle étend les ailes et vole magnifiquement. Comme elle, il faut que tu explores le monde.

— Les autres, ils explorent ce qu'ils veulent. Moi, j'explore mon nid. Je le trouve douillet. La nourriture me convient et la vue est splendide. J'y suis, j'y reste ! conclut le petit entêté.

…veut …veux…
…explores …explorent… explore…
Pourquoi ces mots changent-ils continuellement leurs dernières lettres ? On ne les prononce même pas !

Bonne question !
Ces mots sont des verbes et leurs lettres finales variées cachent tout un système.

Il y a plusieurs centaines d'années, les gens prononçaient ces lettres. En fait, notre façon de parler le français a changé beaucoup plus que notre façon de l'écrire.

Qu'en sais-tu, qu'en penses-tu ?

- Donne un exemple d'un **verbe** que tu connais. Se termine-t-il toujours par la même lettre ?

- Explique comment tu fais pour repérer un verbe, pour savoir quelle lettre écrire à la fin de ce mot.

Les activités de ce chapitre t'aideront à te transformer en pro de l'accord sujet-verbe !

1. Repérer le verbe

Le **verbe** est une classe de mots très différente des autres.
Découvre ses trois caractéristiques, tu auras ainsi de bons moyens
pour repérer facilement les verbes dans les phrases que tu écris.

A Observe **une première caractéristique du verbe**

> La nuit tombe.
> → La nuit ne tombe pas.
> _____
>
> Un fantôme sort de son château.
> → Un fantôme ne sort pas de son château.
> _____
>
> Ses chaînes sont lourdes.
> → Ses chaînes ne sont pas lourdes.

**Décris ce qui a changé d'une phrase à l'autre dans chaque
bloc.**

- Quels mots ont été ajoutés ?
- Où a-t-on placé ces mots ?

Dis dans tes mots quelle est cette première caractéristique
du verbe.

Prouve maintenant que les autres classes de mots *n'ont pas* cette
caractéristique. Essaie d'encadrer d'autres mots de la même façon.
Demande-toi chaque fois si la phrase est correcte.

Exemple :
Un fantôme sort de son ~~ne~~ château. ~~pas~~

> *Ça ne se dit pas !
> Cette phrase est incorrecte !
> Le mot **château** n'est pas
> un verbe.*

B Observe une deuxième caractéristique du verbe

Le fantôme du château avance silencieusement.
→ Le fantôme du château avançait silencieusement.
→ Le fantôme du château avancera silencieusement.

Olivier suspend un drap et se cache.
→ Olivier suspendait un drap et se cachait.
→ Olivier suspendra un drap et se cachera.

Ce piège attire de mignons fantômes.
→ Ce piège attirait de mignons fantômes.
→ Ce piège attirera de mignons fantômes.

Décris ce qui a changé d'une phrase à l'autre dans chaque bloc.

- Quels mots ont été modifiés ?
- Quelle partie de ces mots a changé ?
- Quelle différence de sens apporte ce changement ? Pour t'aider à répondre à cette question, situe chaque phrase sur la ligne du temps.

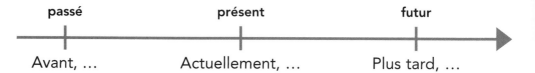

passé	présent	futur
Avant, …	Actuellement, …	Plus tard, …

Dis dans tes mots quelle est cette deuxième caractéristique du verbe.

Prouve que le verbe est la seule classe de mots qui présente cette caractéristique. Essaie d'indiquer le temps sur d'autres mots parmi les phrases ci-dessus. Demande-toi si cela se dit bien.

Exemple :

Olivier suspend un drap~~ait~~ ???

Cela ne se dit pas.
Le mot **drap** n'est pas un verbe !

C Observe une troisième caractéristique du verbe

Le vent agite le drap dans la nuit.
→ J'agite, tu agites, il agite, elle agite,…

Le fantôme tire le drap par un coin.
→ Je tire, tu tires, il tire, elle tire,…

Il lui tombe sur la tête.
→ Je tombe, tu tombes, il tombe, elle tombe,…

Décris ce qui arrive aux mots *agite, tire, tombe*. Quels mots se disent bien devant ?

Dis dans tes mots quelle est cette troisième caractéristique du verbe.

Prouve que le verbe est la seule classe de mots à présenter cette caractéristique. Essaie de l'appliquer à d'autres mots dans les phrases ci-dessus.

Cherche le sens du mot *conjuguer* dans le dictionnaire.
- Qu'as-tu découvert ?
- Comment nommes-tu ce qu'on a fait avec les verbes ?

D Observe le verbe conjugué et le verbe à l'infinitif

Olivier doit courir à toutes jambes pour surprendre le fantôme.

Le garçon veut capturer le fantôme pour l'apprivoiser.

Transforme les phrases ci-dessus de diverses façons : mets-les au passé, au futur puis encadre le verbe de *ne … pas* pour en faire une phrase négative.
- Quels verbes as-tu trouvés ?
- Vérifie que tu peux les conjuguer en plaçant *je, tu, il, elle…* devant.

Les verbes que tu viens d'observer sont donc des **verbes conjugués**. Les exemples contiennent aussi des **verbes à l'infinitif**, des verbes qui ne sont pas conjugués. Dans une autre phrase, tu pourrais conjuguer ces verbes, les mettre au passé, les encadrer de *ne … pas*.

Trouve les verbes à l'infinitif dans les phrases qui précèdent.

Cherche les mots suivants dans le dictionnaire : *doit, surprendre, veut* et *apprivoiser*.

- Quels mots as-tu trouvés ?
- Quels mots semblent absents du dictionnaire ? S'agit-il de verbes conjugués ou de verbes à l'infinitif ?

E **Observe un autre moyen de trouver l'infinitif d'un verbe.**

Le réveille-matin secoue Olivier.
→ Il va secouer Olivier.

Son fantôme reste dans ses rêves.
→ Il va rester dans ses rêves.

Décris ce qui a changé d'une phrase à l'autre dans chaque bloc.

- Quels sont les verbes conjugués dans les phrases en couleur ?
- Que deviennent ces verbes ?
- Si tu veux trouver le sens des mots *secoue* et *reste* dans le dictionnaire, quels mots dois-tu chercher ?

Dis dans tes mots quels moyens tu peux utiliser pour trouver l'infinitif d'un verbe conjugué.

- Quel est l'infinitif des verbes *doit* et *veut* ?

Récapitule

- Comment peux-tu reconnaître les **verbes conjugués** dans les phrases que tu écris ?
- Comment trouves-tu l'**infinitif** de ces verbes ?

Tu auras besoin de ces connaissances pour réussir l'accord entre le sujet et le verbe.

Exercices

➠ p. 265 à 266

Avant d'aller plus loin

Dans les exercices ci-dessous, on te demandera souvent de repérer des verbes. Chaque fois, tu devras laisser des traces de ton raisonnement. Voici comment faire.

1. Encadre le verbe conjugué et écris ∨ dessous.

2. Au-dessus du verbe, tu laisses *deux* des trois traces suivantes :

- la forme du verbe au passé ou au futur,
- le verbe conjugué avec *je, tu, il* ou *elle*,
- le verbe encadré par *ne … pas*.

Exemple :

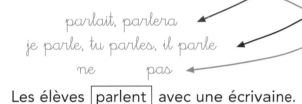

parlait, parlera
je parle, tu parles, il parle
ne   pas

Les élèves ⃞parlent⃞ avec une écrivaine.
          ∨

> Pour tes traces, laisse toujours 4 lignes blanches avant chaque phrase.

1. Recopie les phrases ci-dessous, puis repère les verbes qu'elles contiennent. Pour chaque verbe, laisse des traces.

- a) Mathis écrit à ses amis inuits.
- b) Leur vie passionne le garçon.
- c) Les Inuits parlent leur propre langue.
- d) En rêve, il prend l'avion et découvre le Grand Nord.
- e) Un ours polaire attend sur la banquise…

2. Fais le même travail qu'au numéro 1, mais avec des phrases différentes.

- a) Un souriceau cherche du fromage dans une armoire.
- b) Ses provisions sont épuisées.
- c) Soudain, il arrive nez à nez avec le chaton de la maison.
- d) Minou trouve le souriceau appétissant.
- e) Le petit rongeur réfléchit à son avenir et retourne dans son trou !

3. À toi de corriger une copie d'élève ! Vérifie le travail qui a été fait sur les caractéristiques du verbe.

4. Relis l'histoire de l'oisillon à la page 140. Imagine ce qui peut arriver au petit oiseau qui refuse de quitter son nid. Tu peux t'inspirer des idées suivantes :

- L'oisillon perd l'équilibre et tombe du nid. Que lui arrive-t-il ?
- Un matou atteint le nid. Que fait l'oisillon ?
- Un vieux corbeau se moque de l'oisillon incapable de voler. Comment l'oisillon réagit-il ?
- Le petit oiseau tombe amoureux d'une belle hirondelle… Comment cela le change-t-il ?

Étape 1 En cinq phrases, écris la suite que tu viens d'inventer.

Étape 2 Repère tes verbes conjugués. Pour chacun, laisse des traces.

5. Jacques Prévert a écrit plusieurs poèmes. Les phrases qui suivent ont toutes été écrites à partir du début de l'un de ces poèmes.

a) L'artiste peint d'abord une cage avec une porte ouverte.

b) Il dessine ensuite quelque chose de joli pour l'oiseau.

c) Le peintre place la toile contre un arbre et se cache derrière.

d) L'artiste attend l'entrée de l'oiseau dans la cage.

e) Il ferme doucement la porte avec le pinceau.

D'après Jacques Prévert, *Pour faire le portrait d'un oiseau*, © Éditions Gallimard, 1972

Étape 1 Repère le verbe conjugué dans chaque phrase. Donne des preuves pour chacun.

Étape 2 Récris le début de chaque phrase. Mets les verbes conjugués à l'infinitif. Sous chaque verbe à l'infinitif, écris Vinf.

Exemple : L'artiste ⌐fait⌐ un portrait. → Faire un portrait.

                      V   Vinf

6. Imagine que tu es un clown invité à une grande fête. Prépare une liste de ce qu'il faut faire pour amuser les gens.

Compose cinq phrases qui commenceront toutes par un verbe à l'infinitif. Sous chaque verbe à l'infinitif, écris Vinf.

7 Lis les extraits suivants décrivant des exploits d'oiseaux. Repère tous les verbes à l'infinitif.

a) Le faucon pèlerin vole à une vitesse de 200 km/h et peut voir une proie à une distance de plus de 8 km.

b) Parmi les oiseaux, l'autruche semble imbattable à la course. Elle peut courir à 72 km/h. Ses pas mesurent parfois jusqu'à 7 mètres.

c) La coquille de l'œuf de l'autruche arrive à supporter le poids d'un être humain. Cela est possible même si la coquille de l'œuf d'autruche est mince.

d) L'œuf de l'oiseau-éléphant pouvait contenir 8,5 litres de liquide ! Cette espèce d'oiseau est disparue.

e) L'albatros hurleur plane dans les airs plusieurs heures d'affilée sans battre des ailes. Il compte sur ses immenses ailes pour accomplir un tel exploit.

Étape 1   Écris sur une feuille tous les verbes à l'infinitif que tu as relevés. Sous chaque verbe à l'infinitif, écris Vinf.

Étape 2   Compose maintenant une nouvelle phrase à partir de chaque verbe à l'infinitif. Dans tes phrases, conjugue les verbes.

Exemple : Reconnaître : Il reconnaît son vieil ami.
              Vinf

2. Repérer le sujet

Dans une phrase, un groupe de mots occupe la **fonction sujet**. C'est un rôle très important ! Pourquoi ? Parce que ce groupe en fonction sujet *influence la finale du verbe*. Après les activités de cette section, le **sujet** n'aura plus de secret pour toi !

2.1 Le sujet : un groupe de mots

Un groupe de mots occupe la fonction sujet dans la phrase. Tu vas découvrir très vite de quelle sorte de groupe il s'agit.

A Observe

L'espion prépare la mission.

L'espion prépare les missions.

Les espions préparent la mission.

Les espions préparent les missions.

Décris ce qui a changé d'une phrase à l'autre.
- Quel groupe de mots influence la façon d'écrire le verbe ?
- Où est situé ce groupe dans la phrase ?
- De quelle sorte de groupe s'agit-il ?

- Le verbe de ces phrases est-il un verbe conjugué ou un verbe à l'infinitif ?

B Observe encore

L'espion se dépêche de préparer la mission.

Les espions se dépêchent de préparer la mission.

L'espion se dépêche de préparer les missions.

Les espions se dépêchent de préparer les missions.

Décris ce qui a changé d'une phrase à l'autre.
- Quels sont les verbes conjugués ? les verbes à l'infinitif ?
- Lesquels s'écrivent différemment d'une phrase à l'autre ?
- Quel groupe de mots influence la façon d'écrire ces verbes ?

Dis dans tes mots tout ce que tu as appris à propos du groupe du nom en fonction sujet.

> **Le mot juste**
>
> Pour plus de commodité, on désigne le **groupe du nom en fonction sujet** par les lettres **GN-S.** Le GN-S influence la finale du verbe. On dit alors que *le verbe s'accorde avec le GN-S.*

2.2 Reconnaître le GN-S

Tu peux utiliser plusieurs moyens pour reconnaître le **GN-S** (**groupe du nom en fonction sujet**) dans les phrases que tu écris. Parfois, tu dois combiner plus d'un moyen. Découvre ces moyens !

A **Observe** **un premier moyen de reconnaître le GN-S**

> Toupie la chatte ratait toujours sa chasse à la souris.
> → Elle ratait toujours sa chasse à la souris.
> ───────────────────────────────
> Ce problème était sérieux.
> → Il était sérieux.
> ───────────────────────────────
> Plusieurs chattes la trouvaient maladroite.
> → Elles la trouvaient maladroite.
> ───────────────────────────────
> Ses meilleurs amis cherchaient un moyen de l'aider sans la fâcher.
> → Ils cherchaient un moyen de l'aider sans la fâcher.

Décris ce qui a changé d'une phrase à l'autre dans chaque bloc.

- Quel groupe de mots a été remplacé ? Quel mot occupe la place du groupe ?
- Quelle est la fonction de ce groupe de mots dans la phrase ?
- D'après toi, dans le premier bloc, pourquoi a-t-on remplacé *Toupie la chatte* par *elle* et non par *il* ?
- Dans le dernier bloc, pourquoi a-t-on remplacé *Ses meilleurs amis* par *ils* et non par *elles* ni par *il* ?

Dis dans tes mots quel est ce premier moyen pour trouver le GN-S dans les phrases que tu écris.

B Observe **un deuxième moyen de reconnaître le GN-S**

Son copain Moustache a une bonne idée.
→ C'est son copain Moustache qui a une bonne idée.

Lundi prochain, Moustache emmènera Toupie au bureau de Paul.
→ Lundi prochain, c'est Moustache qui emmènera Toupie au bureau de Paul.

L'idée enchante Toupie.
→ C'est l'idée qui enchante Toupie.

Décris ce qui a changé d'une phrase à l'autre dans chaque bloc.
- Quels mots ont été ajoutés ? Où sont-ils placés ?
- Identifie le GN-S dans les phrases en couleur à l'aide du premier moyen. Que constates-tu ?

Dis dans tes mots quel est ce deuxième moyen pour trouver le GN-S dans les phrases que tu écris.

Prouve que le GN-S est le seul groupe de mots dans la phrase qui peut être encadré par *C'est … qui*. Essaie d'appliquer la même transformation à d'autres groupes de mots dans les phrases ci-dessus. Que se passe-t-il ?

C Observe **un troisième moyen de reconnaître le GN-S**

Les deux chats voient la souris de l'ordinateur.
→ Qui est-ce qui voit la souris de l'ordinateur ?
   Les deux chats.

«Cette souris est une proie idéale pour Toupie», pense Moustache.
→ Qu'est-ce qui est une proie idéale pour Toupie ?
   Cette souris.
→ Qui est-ce qui pense ?
   Moustache.

> Ce moyen de reconnaître le sujet était sans doute le seul que tes parents connaissaient.
> Tu as de la chance, tu en connais trois !

Décris toutes les modifications apportées aux phrases.

- Quel est le GN-S dans chacune des phrases en couleur ? Utilise les moyens que tu connais pour l'identifier.

- Par quelles expressions interrogatives a-t-on remplacé les GN-S ?

- Quel est le dernier mot de ces expressions interrogatives ? Devant quelle classe de mots se trouve-t-il ?

- Qu'est-ce qui est semblable dans le deuxième et le troisième moyen de reconnaître un GN-S ?

- Que peux-tu dire des mots qui forment la réponse à chaque question ?

- Dans les phrases en couleur, où est situé le GN-S par rapport au verbe qu'il commande ?

- D'après toi, pour repérer le sujet d'une phrase, pourrais-tu simplement rechercher un groupe du nom qui se trouve devant le verbe ? S'agirait-il d'un moyen fiable ?

Dis dans tes mots quel est ce troisième moyen d'identifier le GN-S dans les phrases que tu écris.

Récapitule

- Par quels moyens peux-tu reconnaître le **GN-S** dans les phrases que tu écris ?

- Choisis une des phrases observées et montre comment tu utilises chaque moyen.

Exercices

 p. 265 à 267

Avant d'aller plus loin

Dans les exercices ci-dessous, on te demandera souvent de repérer des GN-S. Chaque fois, tu devras laisser des traces de ton raisonnement. Voici comment faire.

1. Repère les verbes conjugués, encadre-les puis écris ∨ dessous.

2. Place le GN-S entre crochets et écris GN-S dessous.

3. Au-dessus du GN-S, tu laisses *deux* des trois traces suivantes :

   – l'expression *Qu'est-ce qui* ou *Qui est-ce qui* à la place du GN-S,

   – l'expression *C'est… qui* encadrant le GN-S,

   – le pronom *Il*, *Elle*, *Ils* ou *Elles* à la place du GN-S.

4. Trace une flèche allant du GN-S au verbe.

Exemples

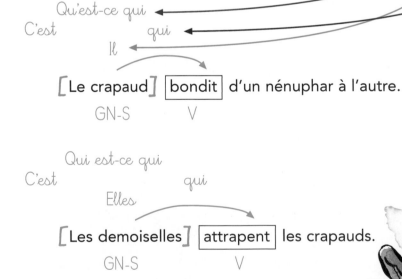

[Le crapaud] | bondit | d'un nénuphar à l'autre.
GN-S   V

[Les demoiselles] | attrapent | les crapauds.
GN-S   V

1. **Lis le début de l'histoire de Capucine et de son crapaud.**

a) La petite Capucine attrape un crapaud.

b) Un bocal transparent devient sa nouvelle maison.

c) La jeune fille ignore une chose.

d) Son beau crapaud est un prince victime d'un mauvais sort !

e) Le crapaud hurle à Capucine de lui donner un baiser sur la tête.

f) Hélas ! Capucine n'entend rien.

g) Une grande tristesse envahit le prince crapaud.

Étape 1   Recopie les phrases jusqu'au verbe conjugué.
Pour chaque verbe conjugué, laisse des traces.

Étape 2   Maintenant, repère le GN-S de chaque phrase.
Pour chacun, laisse des traces.

2. **Lis la suite de l'histoire sur le document que l'on te remettra.**

Repère le GN-S et le verbe conjugué de chaque phrase et laisse des traces.

3. **À toi de corriger une copie d'élève ! Vérifie le travail qui a été fait pour repérer les GN-S et les verbes conjugués. Tu découvriras aussi la fin de l'histoire de Capucine.**

4 **Imagine une mission confiée par la directrice des services secrets à Rusé l'espion. Compose un court texte de cinq phrases qui décrit la mission. Dans ton texte, repère les verbes et leur GN-S et laisse les traces habituelles.**

2.3 Reconnaître le pronom sujet

Tu sais que les mots comme *il, elle, ils* ou *elles* peuvent aussi être sujets puisqu'ils remplacent parfois le GN-S. Ces mots appartiennent à la **classe** des **pronoms**.

Il existe d'autres pronoms qui peuvent avoir la fonction de sujet de la phrase. Comme ils servent à conjuguer le verbe, on les appelle souvent **pronoms de conjugaison**. On classe les pronoms selon la **personne grammaticale** et le **nombre**. Les activités de cette section t'amèneront à bien les connaître.

A Observe les pronoms de la première et de la deuxième personne

Raphaël

De: <erce@ies.com>
À: Papi et Mamie
Envoyé: 28 février 2002   10:30
Objet: Voyage

Chers grands-parents,

Vous êtes en forme, j'espère.

Moi, je fais un voyage épatant.
J'ai même vu du saut en longueur
pour amputés.

Un gros bec à tous les deux.

Raphaël

2002-02-28

Papi et Mamie

De: <pm.poules@ies.com>
À: Raphaël
Envoyé: 28 février 2002   14:10
Objet: Voyage

Cher Raphaël en or,

Nous sommes en pleine forme.
Ici, ton chat cause des soucis
à la voisine et ta sœur s'ennuie
de tes taquineries.

À ton retour, nous serons à
l'aéroport. Des milliers de bisous.

Tes grands-parents poules

2002-02-28

Décris de quelle manière tu comprends qui parle ou écrit dans les textes précédents et à qui les personnages s'adressent.

- Quels personnages parlent dans la BD ? Qui a écrit chaque courriel ?
- Quels mots désignent la personne ou les personnes qui parlent ou écrivent ?
- Quels mots désignent la personne ou les personnes à qui on parle ou écrit ?

Voici les pronoms de la 1ʳᵉ et de la 2ᵉ personne.

Pronoms	Personne et nombre	Ce qu'ils désignent
je	1ʳᵉ pers. s.	La personne qui parle ou écrit
nous	1ʳᵉ pers. pl.	La personne qui parle ou écrit + + au moins une autre personne
tu	2ᵉ pers. s.	La personne à qui on parle ou écrit
vous	2ᵉ pers. pl.	La personne à qui on parle ou écrit + au moins une autre personne

NOTE: Lorsqu'on parle à quelqu'un, il est facile de comprendre qui est *je* et qui est *tu*, *nous* ou *vous*. Quand on lit, c'est souvent par des renseignements en dehors du texte qu'on comprend ce que les pronoms *je*, *tu*, *nous* ou *vous* désignent. Par exemple, les images, les bulles d'une B.D., l'adresse et la signature d'une lettre permettent de comprendre **qui** est désigné par ces pronoms.

B Observe **les pronoms de la troisième personne**

> Quel combat ! Deux escrimeuses en fauteuil roulant s'affrontent depuis quelques minutes. Elles sont souples et agiles. Leurs fauteuils ne peuvent se déplacer. Ils sont fixés au sol pour éviter les culbutes. Soudain, une épée se casse. Elle est aussitôt remplacée. L'arbitre observe attentivement les athlètes. Il apprécie leur performance. La gagnante fera partie de l'équipe nationale. Cela lui permettra de participer aux prochains Jeux paralympiques.

Décris ce que les pronoms *il, ils, elle, elles* ou *cela* remplacent dans ce texte.

- Où trouves-tu ces informations ?
- Dans le texte, quels pronoms renvoient à une ou des personnes ?
- À quoi renvoient les autres pronoms ?

- Les pronoms *il, ils, elle* et *elles* remplacent quelle sorte de groupe de mots ?
- Quand utilise-t-on *ils* plutôt que *elles* ou *il* ?

Dis dans tes mots ce que tu viens d'apprendre sur les pronoms *il, ils, elle, elles* et *cela*.

C Observe **une erreur à éviter !**

1. Martine était assise dans son fauteuil de course. Tout à coup, il apparaît devant elle. Martine lui sourit. Il lui donne un dernier conseil avant le départ.

2. Martine était assise dans son fauteuil de course. Tout à coup, son entraîneur apparaît devant elle. Martine lui sourit. Il lui donne un dernier conseil avant le départ.

Décris ce qui a changé entre le texte n° 1 et le texte n° 2.
- Comprends-tu ce que *il* remplace dans le texte n° 1 ? Explique pourquoi.
- Comprends-tu ce que *il* remplace dans le texte n° 2 ? Explique pourquoi.

Dis dans tes mots comment utiliser clairement le pronom *il* dans les textes que tu écris.

D Observe un pronom spécial : *on*

> Super !
> À la radio, on annonce
> que l'école sera fermée pour la
> journée. J'aimerais bien qu'on patine
> ensemble cet après-midi.

Trouve le sens de *on* dans ces phrases.

- Lequel a le sens de *nous* ? Lequel a le sens de *quelqu'un* (*n'importe qui*) ?

Voici les pronoms de la troisième personne.

Pronom	Personne et nombre	Ce qu'ils désignent
il, elle, cela, ça	3ᵉ pers. s.	Ces pronoms de la 3ᵉ personne remplacent des groupes de mots dans une phrase. Pour comprendre la phrase, il faut chercher dans le texte le groupe que les pronoms remplacent.
ils, elles	3ᵉ pers. pl	
		Un pronom de la 3ᵉ personne désigne souvent autre chose qu'une vraie personne.
		Exemples: Julie a réparé le tuyau. Il ne coule plus. Les fleurs viennent d'arriver. Elles sont magnifiques.
on	3ᵉ pers. s.	*On* est un pronom qui peut avoir deux sens : *nous* ou *quelqu'un* (*n'importe qui*).
		Un verbe conjugué avec *on* s'écrit à la 3ᵉ personne du singulier… même lorsque *on* a le sens de *nous*.

1. Je patine avec mon ami.

2. Il patine avec moi.

3. Tu viens patiner avec nous ?

4. Nous patinerons tous ensemble.

5. On s'amusera bien !

6. Vous êtes chanceux !

7. Je voudrais aussi y aller avec vous.

8. D'accord ! Tu nous rejoindras chez nous.

9. Mon frère vous montrera son nouveau bâton de hockey.

10. Et ta mère, elle pourra nous accompagner ?

11. Ma mère ? Elle viendra si on l'invite.

12. Et on pourra aller à l'aréna avec elle.

13. Ils sont habiles, ces patineurs !

14. J'aimerais bien patiner comme eux !

Repère, dans chaque phrase, tous les pronoms que tu connais.

- Quel pronom est sujet ?
- Y a-t-il aussi, dans certaines phrases, un pronom qui n'est pas sujet ? Explique comment tu le sais.

Nomme les pronoms qui apparaissent uniquement comme sujets dans ces phrases.

Prouve qu'on peut construire des phrases avec ces pronoms seulement s'ils sont sujets.

Exemple :

1. Je patine avec mon ami.
2. Il patine avec moi.

Dans ces phrases, les pronoms *je* et *il* sont sujets.
Essayons de les utiliser ailleurs dans la phrase :

Je fais du sport avec il.

Il fait du sport avec je.

> Cela ne se dit pas !
> Ces phrases sont mal construites.

Dis dans tes mots ce que tu viens d'apprendre sur les pronoms.

- Lesquels te simplifient la vie parce qu'ils sont toujours sujets ?
- Lesquels sont parfois sujets mais pas toujours ? Comment peux-tu vérifier s'ils sont sujets ?

Récapitule

- Apprends par cœur la liste des **pronoms** qui peuvent occuper la **fonction sujet** d'une phrase.

- Associe-les avec leur **personne** et leur **nombre**. Cela te sera utile lorsque tu réviseras les accords des verbes dans tes productions.

- Quels sont les pronoms *toujours sujets* ? Quels pronoms dois-tu vérifier plus attentivement parce qu'ils ne sont *pas toujours sujets* ? Par quels moyens peux-tu le vérifier ?

Exercices

➠ p. 268

Avant d'aller plus loin

Dans les exercices suivants, on te demandera de repérer les pronoms sujets. Chaque fois, tu devras laisser des traces. Voici comment faire.

- **Les pronoms toujours sujets (*je, tu, il, on, ils*):**

  1) Place-les entre crochets et écris Pron.-S dessous.

  2) Trace une flèche allant du Pron.-S au verbe conjugué.

  Exemple: [Il] rencontre ses nouveaux camarades de classe.

  Pron.-S

- **Les pronoms souvent sujets, mais pas toujours (*elle, elles, nous, vous, cela*):**

  1) Place-les entre crochets et écris Pron.-S dessous.

  2) Laisse *une* des traces suivantes:
     - l'expression *Qu'est-ce qui* ou *Qui est-ce qui* à la place du Pron.-S,
     - l'expression *C'est … qui* encadrant le Pron.-S.

  3) Trace une flèche allant du Pron.-S au verbe conjugué.

  Qui est-ce qui?

  C'est   qui

  Exemple: [Elles] rencontrent leurs nouveaux camarades.

  Pron.-S

1. Lis la bande dessinée.

CASE 1

Sudie ! J'ai adopté un animal. Tu veux le voir ?

Youppi ! J'adore les animaux. Est-ce que tu veux le montrer aussi à ma sœur ?

CASE 2

Bien sûr ! Vous verrez, mon animal et moi, nous sommes les plus fidèles amis du monde !

Je gage que vous êtes déjà inséparables… Vite, nous avons hâte de voir ta petite merveille.

CASE 3

Vous êtes bien certaines de vouloir rencontrer ma nouvelle amie ?

Oui. Nous en sommes certaines !

CASE 4

Je vous présente Coquette, ma mouffette !

Pouah !

Au secours !

Dans la bande dessinée, que désignent les pronoms suivants ?

a) Les *J'* de la case 1.

b) Les *tu* de la case 1.

c) Les *nous* de la case 2.

d) Les *vous* de la case 2.

e) Le *Je* de la case 4.

f) Le *vous* de la case 4.

2 Dalia et ses camarades s'installent au camp de vacances… Après avoir monté les tentes, le groupe se réunit. Voici la conversation :

DALIA : – **1** Bonjour, tout le monde, je suis la responsable de la tente bleue. **2** Toi, Puce, tu partageras cette tente avec moi.

TARA : – **3** Je m'occupe de la tente rouge. **4** Marguerite et Fleurette, vous serez avec moi.

PUCE : – **5** Sudie, tu dormiras dans notre tente. **6** Viens, Fleurette. Toi et moi, nous allons chercher du bois.

TARA : — **7** Les autres, vous allez chercher de l'eau. Moi, j'installe le hamac !

a) **Pour chaque phrase numérotée, précise *qui* parle *à qui*.**

Exemple : 1 Dalia parle au reste du groupe.

b) **Quand tu auras terminé, dis qui loge dans la tente bleue et dans la tente rouge.**

3. **Voici des extraits du journal de Tara. Lis-les.**

a) Dalia a peur du noir. Puce et moi, on rit d'elle.

b) Sudie et moi étions dans la tente bleue. Tout à coup, on entend quelque chose. On rôdait autour de notre tente !!!

c) On a marché longtemps dans la forêt. Après quelques heures, on a compris qu'on était perdues. On a utilisé notre sifflet. Peu après, on venait à notre rescousse.

Recopie les phrases qui comportent une ou plusieurs fois le pronom *on*. Remplace chaque *on* par *nous* ou par *quelqu'un* (ou *quelque chose*) selon le sens.

Exemple : Puce et moi, *nous* rions d'elle.

4. **Lis le texte qui suit.**

1 La semaine passée, notre classe a organisé une activité. **2** Elle a choisi le musée.
3 Au début, l'idée ne m'enchantait pas.
4 Elle me déplaisait même beaucoup…
5 J'étais déjà allée au musée. **6** Les toiles étaient trop hautes. **7** Elles semblaient inaccessibles ! **8** Mais cette fois, la directrice du musée a pensé à nous. **9** Elle a fait suspendre les œuvres à notre hauteur.
10 J'ai découvert le peintre Arcimboldo.
11 Il crée de rigolos portraits avec des légumes, des fruits et des fleurs. **12** Ils sont vraiment épatants !

L'été, Arcimboldo

Musée du Louvre, Paris/Superstock

Repère dans le texte tous les pronoms de la 3ᵉ personne :

a) **écris le numéro de la phrase ;**

b) **écris le pronom de la 3ᵉ personne trouvé dans cette phrase ;**

c) **indique quel groupe de mots désigne ce pronom.**

Exemple : **2** Elle = Notre classe

5 **Dans les phrases que l'on te dicte, repère les pronoms sujets. Pour chacun, laisse des traces.**

➥ p. 268

Mémorise la liste des pronoms toujours sujets.

6 Les copines Karen et Maude coursent à bicyclette. La course est très excitante !

Étape 1 **Compose un texte de cinq phrases qui décrit cette course. Au début, tu nommes Karen et Maude. Ensuite, utilise des pronoms pour les désigner.**

Étape 2 **Repère les pronoms sujets dans ton texte. Pour chacun, laisse des traces.**

Étape 3 **Demande à un ou une camarade de lire ton texte et de dire à qui renvoie chaque pronom sujet. Tes pronoms permettent-ils toujours de savoir de qui on parle ?**

3. Repérer le verbe et le sujet : des cas difficiles

Tu disposes de plusieurs moyens pour repérer les **verbes conjugués** et leur **sujet** dans les phrases que tu écris. Dans cette section, tu vas pouvoir appliquer ces moyens à des phrases qui présentent certaines difficultés.

A Observe des mots trompeurs

1. Barbe-Noire pêche la morue avec un autre pirate devant des phoques curieux.

2. Les pirates pratiquent la pêche.

3. Alwinda la pirate trace le plan d'une île pour localiser un trésor.

4. Un pirate suit la trace d'un naufragé.

5. Élisabeth Ire prépare la fête donnée en l'honneur de son corsaire.

6. La victoire, le capitaine la fête sur une île avec ses pirates.

Repère les verbes conjugués dans les phrases qui précèdent. Utilise les moyens que tu connais.

- Quels mots peuvent être un verbe dans une phrase mais pas dans une autre ?
- À quelle catégorie appartiennent ces mots lorsqu'ils ne sont pas des verbes ?

Dis dans tes mots comment tu réussis à trouver correctement le verbe sans te tromper.

B Observe de longs GN-S

1. Les équipages de Grace s'aventuraient au large pour piller des navires marchands.

2. Le partage du butin des pirates fait parfois des mécontents...

3. Avec leurs redoutables marins, les femmes de la piraterie pouvaient souvent s'emparer de formidables trésors.

Repère dans les phrases qui précèdent les verbes conjugués et les GN-S grâce aux moyens que tu connais.

- Dans chaque GN-S, combien y a-t-il de noms ?
- Pour que la phrase garde son sens, par quel pronom remplaces-tu chaque GN-S ?

- Dans chaque GN-S, quels mots peux-tu effacer sans que la phrase change complètement de sens ?
- Quel nom de chaque GN-S ne peut pas être effacé ?
- Par quel pronom peux-tu le remplacer ?

Évidemment, en effaçant des mots, on perdra quelques détails mais la phrase doit rester complète, elle doit te paraître normale à l'oreille !

Dis dans tes mots comment tu réussis à accorder le verbe lorsque le GN-S d'une phrase est un long groupe de mots.

C **Observe** encore de longs GN-S

1. Alicia et sa sœur fixent des drapeaux noirs à leur bicyclette!

2. La chemise colorée et le pantalon large sont les vêtements préférés du pirate.

3. Le vent froid et la maladie rendent la vie en mer difficile.

Repère dans les phrases les verbes conjugués puis leur GN-S.
- Combien de noms trouves-tu dans chaque GN-S ?
- Par quel pronom remplaces-tu chaque groupe pour que la phrase garde son sens ?
- Les verbes sont-ils au singulier ou au pluriel ? Explique pourquoi.

Dis dans tes mots comment tu réussis à accorder le verbe lorsque le GN-S est formé de plusieurs noms réunis par *et*.

Observe **des sujets lointains**

1. Quand nous sommes en congé, ma tante nous emmène souvent jouer sur son bateau.

2. Cet après-midi, les nuages cachent le soleil et donnent une ombre rafraîchissante.

3. Ma tante les observe attentivement et prévoit des averses passagères.

4. Beaucoup de jeunes, à la marina, enfilent des costumes de pirate et se cachent dans les bateaux.

5. Tantôt, j'ai vu mon auteure préférée qui montait dans un voilier.

6. Elle m'a fait un sourire qui restera gravé dans ma mémoire.

7. Je lui ai demandé son autographe.

Repère dans chaque phrase les verbes conjugués puis les GN-S ou les pronoms sujets.

Pour chaque verbe, précise où se situe le sujet avec lequel il s'accorde.

Décris ce que tu peux trouver entre le sujet et le verbe.

> **Le mot juste**
>
> On dit que ces mots forment un **écran** entre le sujet et le verbe, comme si ces mots t'empêchaient de voir le sujet du verbe. Qu'en penses-tu ?

Dis dans tes mots comment tu réussis à trouver le sujet (GN ou Pron) d'une phrase lorsqu'il est éloigné du verbe.

Observe des GN-S qui mêlent l'esprit

1. La forêt couvre de grandes parties de l'île de Robinson.

2. Toute la classe s'intéresse à l'histoire de Robinson Crusoé.

3. Le groupe se rappelle l'aventure de ce courageux naufragé.

Repère dans les phrases les verbes conjugués puis les GN-S.

- Quel est le nombre (singulier ou pluriel) des noms qui forment ces GN-S ?
- Dans ta tête, lorsque tu penses à ces noms, que vois-tu ?
- Pourquoi les verbes de ces phrases sont-ils au singulier ?

Le mot juste

On appelle ces noms des **noms collectifs**; ils font penser à une collection, un ensemble. Par exemple: *l'équipe, un troupeau, la foule*...

Dis dans tes mots comment tu trouves le nombre (singulier ou pluriel) d'un nom collectif qui est sujet.

Récapitule

- Explique comment tu peux te servir des divers moyens de trouver le **verbe** et le **GN-S** d'une phrase même dans tous ces cas difficiles.

Exercices

⇒ p. 268 à 270

1. À toi de corriger une copie d'élève ! Vérifie le travail qui a été fait pour repérer les verbes d'une phrase dans les cas difficiles.

2 Sylvia raconte sa visite au cirque. Lis son texte.

1 Après une longue marche, j'arrive au cirque. **2** Une artiste se balance sur un trapèze. **3** Un lion rampe dans un tunnel. **4** Un clown monte sur une balance bleue. **5** Une funambule marche sur son fil. **6** Un autre clown danse sur la piste. **7** Les spectateurs apprécient sa danse. **8** Des tigres sautent par-dessus une rampe en flammes. C'est tout un spectacle !

Trouve le GN-S et le verbe conjugué de chaque phrase numérotée. Inscris tes réponses dans un tableau semblable au suivant.

Nº de la phrase	Son GN-S	Son verbe conjugué

3 Lis le texte suivant.

Les équipes de soccer arrivent au parc pour un tournoi. L'entraîneur des jeunes du quartier apporte les ballons. La propriétaire de la crémerie vient lui dire quelque chose. Les joueurs de toutes les équipes la connaissent. Les gagnants du tournoi auront un cornet de crème glacée gratuit.

Étape 1 Récris le texte et repère tous les GN-S qu'il contient. Pour chacun, laisse des traces.

Étape 2 Dans les GN-S que tu as trouvés, raye les mots qui ajoutent simplement des détails, des précisions.

Exemple : [L'équipe ~~de Longueuil~~] jouera demain.
                         GN-S

Étape 3 Remplace les mots que tu as rayés par d'autres mots.

                              des Castors
Exemple : [L'équipe ~~de Longueuil~~] jouera demain.
                         GN-S

4. **Lis les phrases suivantes :**

   a) Félix et Mélissa fréquentent la même école.

   b) La baignade et la bicyclette comptent parmi leurs activités préférées.

   c) Un bouvier bernois et un labrador blond les accompagnent partout.

   d) Le garçon et la jeune fille comptent sur leur chien-guide.

   Sur une feuille, note le GN-S de chaque phrase. Ensuite, récris chaque phrase en remplaçant son GN-S par le bon pronom parmi les suivants : *il*, *ils*, *elle* ou *elles*.

5. **Lis le texte suivant. Sais-tu de qui ou de quoi il s'agit ?**

   Elle assiste à une conférence sur les farces et attrapes. Au début, **elle** était bruyante. Maintenant, **il** écoute la recette des bonbons siffleurs. **Ils** étudient l'encre invisible. **Elles** se passionnent pour les jujubes au brocoli...

   Récris ce texte en remplaçant chaque pronom en gras par le bon GN parmi les suivants : *des équipes*, *la foule*, *le public*, *plusieurs groupes*, *notre classe*.

6. **Dans le texte ci-dessous, on a encadré les verbes conjugués.**

   Notre père, un homme très patient, nous ⸢lit⸥ souvent des histoires. Habituellement, ses histoires nous ⸢captivent⸥. Papa les ⸢raconte⸥ lentement et ⸢guette⸥ nos réactions. Ce soir, plusieurs créatures, toutes plus monstrueuses les unes que les autres, ⸢vivent⸥ des histoires à faire frémir. Parfois, dans mon rêve, des monstres ⸢apparaissent⸥ et m'⸢effraient⸥. Ma chienne le ⸢devine⸥ et me ⸢rassure⸥.

   Étape 1 **Récris ce texte à quadruple interligne et repère les GN-S qu'il contient. Pour chacun d'eux, laisse des traces.**

   Étape 2 **Raye, s'il y en a, les mots qui font écran entre le GN-S et le verbe.**

7 À toi de corriger une copie d'élève ! Vérifie le travail qui a été fait pour repérer les verbes et les GN-S dans les cas difficiles.

8 Lis le texte suivant.

Un chasseur inuit et ses enfants marchent sur la banquise. Ils voient des traces fraîches sur la neige. «Ces traces de renard polaire sont précieuses», dit le père. Son fils aîné lui demande pourquoi. «Le renard des Pôles suit souvent un ours blanc pour se nourrir des restes de ses proies.» À cet instant, le groupe se cache derrière un monticule de neige. Au loin, un ours polaire guette un phoque et le capture.

Recopie le texte à quadruple interligne, puis :

a) mets les GN-S entre crochets;

b) encadre les verbes conjugués;

c) fais une flèche allant de chaque GN-S à son verbe.

9 Construis quatre phrases. Chacune doit contenir un des GN-S suivants :

a) un long GN-S qui contient des détails qu'on peut effacer,

b) un GN-S qui a deux noms reliés par *et*,

c) un GN-S séparé de son verbe par un écran,

d) un GN-S dont le noyau est un nom collectif.

Pour t'aider, revois les GN-S qui présentent quelques difficultés.

Voici des mots pour te donner des idées : des chasseurs de requins, une équipe de plongeurs, la cage du plongeur, le bateau du plongeur, les yeux et la mâchoire du requin, l'équipage du bateau.

4. Écrire sans faute la terminaison du verbe

Dans la démarche pour réussir l'accord du verbe avec le sujet, tu dois d'abord repérer les verbes conjugués et leur sujet. Il te reste ensuite à écrire la terminaison adéquate du verbe pour marquer correctement l'accord. Les terminaisons varient selon le mode, le temps et la personne auxquels le verbe est conjugué. C'est tout ce **système verbal** que tu découvriras dans cette section.

Les deux parties du verbe

Apprends à distinguer les deux parties du verbe : le **radical** et la **terminaison**.

■ Observe **le radical et la terminaison du verbe**

je **pens**ais	tu **arrive**s	nous **chant**erons	elles **réussi**ront	vous **lis**ez
ils **pens**ent	elle **arriv**ait	je **chant**e	il **réussi**t	tu **lis**ais
tu **pens**eras	j'**arriv**erai	ils **chant**aient	tu **réussiss**ais	il **li**ra

Nomme les différents verbes qui sont conjugués ci-dessus (nomme-les à l'infinitif, comme dans le dictionnaire).

> **Le mot juste**
>
> La partie du verbe **en caractère gras** s'appelle le **radical**, celle *en italique* s'appelle la **terminaison**.
>
> radical   terminaison
>
> Exemple :   **arriv**ait

Compare la façon d'écrire le radical pour les différentes personnes de chaque verbe présenté ci-dessus.

- Quels verbes ont toujours le même radical ?
- Quels verbes ont plus d'un radical ?

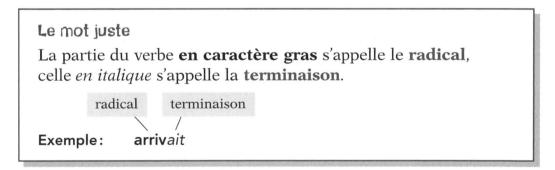

Lorsque tu apprends par cœur la conjugaison d'un verbe, regarde si son radical s'écrit d'une ou de plusieurs façons.

Décris les changements de sens que tu peux observer entre les verbes d'une même colonne à la page précédente.

- Quelle partie du verbe (le radical ou la terminaison) conserve toujours le même sens ?
- De quelle partie du verbe viennent les changements de sens ?

Dis dans tes mots tout ce que tu as appris sur les deux parties du verbe.

4.1 Le présent de l'indicatif

On peut conjuguer les verbes à différents modes. L'indicatif est un mode. Chaque mode regroupe plusieurs temps de verbes. Le **présent de l'indicatif** est le temps de verbe que tu utilises le plus souvent. Dans cette section, tu démêleras toutes ses terminaisons. Tu devras aussi apprendre par cœur les exceptions qui te seront signalées.

A Observe **l'usage du présent**

1. Nougat ! Tu me **fais** mal ! Tu m'**écrases** le pied !

2. Chaque soir, après l'école, je **rencontre** Victor au parc. Il y **vient** avec sa chienne Nougat et il **apporte** son ballon bleu.

3. Depuis toujours, un chien et un ballon **sont** les deux éléments qui rendent Victor heureux.

Ouah ! ouah !

4. D'accord, Nougat ! Je **termine** mes devoirs et je **cours** vous rejoindre au parc.

Associe chaque petit texte de la bande dessinée avec un des usages du présent de l'indicatif décrits ci-dessous:

a) Cela se produit à un moment proche du moment où la personne parle.

b) Cela se produit régulièrement, comme une habitude.

c) Cela est vrai à n'importe quelle époque.

d) Cela se produit au moment même où la personne parle.

> Attention !
> Le présent n'exprime pas toujours le moment exact où la personne parle.

B **Observe les terminaisons du présent à la 1ʳᵉ personne du singulier**

je pars	je viens	je chante	je finis
je mange	je dis	je réfléchis	je dors
je lis	je glisse	j'aime	je continue
je suis	j'adore	j'écris	je rougis
j'arrive	je saute	je fais	je prends
je vois	je nage	je joue	je termine
je regarde	je sais	je réussis	je crie

Décris ce que tu observes.

- Quel est le pronom de conjugaison de la 1ʳᵉ personne du singulier?
- Quelles sont les différentes terminaisons des verbes ci-dessus?

Classe ces verbes dans un tableau: recopie dans une même colonne tous les verbes qui ont la même terminaison. Ton tableau contiendra autant de colonnes qu'il y a de terminaisons différentes.

Trouve la règle qui te permet de savoir comment se termine n'importe quel verbe du présent à la 1ʳᵉ personne du singulier.

En plus d'avoir la même finale, les verbes d'une colonne partagent une autre caractéristique. Fais apparaître cette caractéristique qui se cache.

> Pour t'aider à trouver «le secret des terminaisons de la 1ʳᵉ personne», pense à tout ce que tu connais sur les verbes, essaie de les transformer de diverses façons.

Dis dans tes mots la règle que tu as trouvée.

Voici quelques **exceptions** à la règle des terminaisons du présent de l'indicatif à la première personne du singulier. Tu dois les apprendre par cœur.

Exceptions aux terminaisons de la 1re personne du singulier				
le verbe	**se termine par**		**le verbe**	**se termine par**
aller	**-s**	je vais	*cueillir, accueillir, recueillir*	**-e** je cueille, j'accueille, je recueille
avoir	**ai**	j'ai	*offrir, souffrir*	j'offre, je souffre
pouvoir	**-x**	je peux	*ouvrir, couvrir, découvrir*	j'ouvre, je couvre, je découvre
vouloir		je veux		
valoir		je vaux		

C   **Observe** les terminaisons du présent à la 2e personne du singulier

tu pars	tu viens	tu offres	tu finis
tu lis	tu dis	tu réfléchis	tu laves
tu es	tu as	tu cueilles	tu continues
tu arrives	tu adores	tu écris	tu rougis
tu vois	tu vas	tu fais	tu prends
tu regardes	tu nages	tu penses	tu découvres
tu joues	tu sais	tu réussis	tu dors

Décris ce que tu observes.

- Quel est le pronom de conjugaison de la 2e personne du singulier ?
- Quelles sont les terminaisons des verbes ci-dessus ?

Dis dans tes mots la règle que tu as trouvée.

Voici les **trois exceptions** à cette règle. Tu dois les apprendre par cœur.

Exceptions aux terminaisons de la 2e personne du singulier		
le verbe	**se termine par**	
pouvoir	**-x**	tu peux
vouloir		tu veux
valoir		tu vaux

D Observe les terminaisons du présent à la 3ᵉ personne du singulier

il part	elle vient	il chante	on finit
elle mange	il dort	on réfléchit	elle veut
on lit	cela cuit	ça coupe	cela continue
elle est	elle peut	on sort	il rougit
cela arrive	elle saute	il fait	elle met
il voit	il nage	elle pense	on joue
elle crie	elle sait	il réussit	ça tombe

Décris ce que tu observes.

- Quels sont les pronoms de conjugaison de la 3ᵉ personne du singulier ?
- Quelles sont les terminaisons des verbes ci-dessus ?

Classe ces verbes dans un tableau : recopie dans une même colonne tous les verbes qui ont la même terminaison. Ton tableau contiendra autant de colonnes qu'il y a de terminaisons différentes.

Trouve la règle qui te permet de savoir comment se termine n'importe quel verbe du présent à la 3ᵉ personne du singulier.

> Souviens-toi du secret des terminaisons.
> Transforme les verbes de diverses façons pour faire apparaître la caractéristique que les verbes d'une même colonne ont en commun.

Dis dans tes mots la règle que tu as trouvée.

Tu dois encore apprendre par cœur les **exceptions** suivantes.

Exceptions aux terminaisons de la 3ᵉ personne du singulier		
le verbe	**se termine par**	
aller	**-a**	il va
avoir	**a**	il a
cueillir, accueillir, recueillir *offrir, souffrir* *ouvrir, couvrir, découvrir*	**-e**	il cueille, elle accueille, elle recueille elle offre, il souffre il ouvre, elle couvre, il découvre
prendre (et d'autres verbes en *-dre* comme *rendre, mordre* : il rend, elle mord)	**-d**	elle prend

E Observe les 1ʳᵉ, 2ᵉ et 3ᵉ personnes du pluriel
au présent de l'indicatif

1ʳᵉ pers. du pluriel **nous...**	2ᵉ pers. du pluriel **vous...**	3ᵉ pers. du pluriel **ils, elles...**
nous arrivons	vous allez	elles viennent
nous partons	vous criez	ils regardent
nous commençons	vous pouvez	ils veulent
nous pouvons	vous voyez	elles mangent
nous nageons	vous sautez	ils lisent
nous réfléchissons	vous finissez	elles savent
nous écrivons	vous mettez	elles découvrent
nous pensons	vous cueillez	ils réussissent
nous rougissons	vous avez	elles continuent
nous voulons	vous adorez	ils prennent

Dis dans tes mots quelles sont les terminaisons des verbes
au présent ci-dessus, pour chaque personne du pluriel.

Voici les quelques **exceptions** à ces règles que tu dois apprendre
par cœur.

Exceptions aux terminaisons des trois personnes du pluriel			
verbe	**1ʳᵉ pers.**	**2ᵉ pers.**	**3ᵉ pers.**
être	nous sommes	vous êtes	ils sont
faire		vous faites	elles font
dire		vous dites	
avoir			ils ont
aller			elles vont

Attention !
comme plusieurs personnes,
quand tu parles, tu dis peut-être
vous disez, vous faisez...
Ces formes sont
incorrectes.

VOUS Sautez!

Récapitule les finales des verbes au présent de l'indicatif.

Pour mieux apprendre ces règles et leurs exceptions, recopie sur une grande feuille le tableau ci-dessous et complète-le afin de regrouper tout ce que tu viens d'apprendre. Surligne en jaune les terminaisons.

> *Cette feuille te servira d'aide-mémoire lorsque tu vérifieras l'accord des verbes avec leur sujet.*

LES VERBES AU PRÉSENT DE L'INDICATIF				
Personne	**Verbes** _____ exemple : _____	**Les autres verbes**		**Exceptions** (regroupées par personne)
		ex. 1 : _____	ex. 2 : _____	
1ʳᵉ du sing.	je …	je …	je …	je vais, j'ai, …
2ᵉ du sing.	tu …	tu …	tu …	
3ᵉ du sing.	il, elle …	il, elle …	il, elle …	
1ʳᵉ du plur.	nous …	nous …	nous …	
2ᵉ du plur.	vous …	vous …	vous …	
3ᵉ du plur.	ils, elles …	ils, elles …	ils, elles …	
Exceptions (regroupées par verbe)	SAUF : **aller :** je vais, tu vas, il va… elles vont	SAUF : *(Attention ! Prévois assez d'espace ici.)*		

Exercices

→ p. 270 à 271

Avant d'aller plus loin

Dans ce bloc d'exercices, on te demandera de vérifier l'accord de verbes conjugués. Tu devras appliquer chaque fois la procédure de révision que voici.

1. Repère chaque verbe conjugué. Pour chacun, laisse des traces.

2. Repère le sujet de chaque verbe. Pour chacun, laisse des traces.

3. Au-dessus du sujet, indique sa personne.

4. Relie par une flèche le sujet au verbe conjugué.

5. Vérifie la terminaison du verbe:
   – Est-ce la bonne pour ce verbe?
   – Est-elle à la même personne que le sujet?

6. Si nécessaire, corrige la terminaison du verbe.

Exemple:

C'est   qui   entrait
Elle: 3ᵉ pers. s.   n'   pas

[Antoinette]   entres dans l'étable.
GN-S   V

---

1. **Dans les phrases ci-dessous, les verbes au présent n'ont pas tous le même usage.**

   a) Dans quelques heures, le zoo ouvre ses portes.

   b) «Ma chouette, nous finissons de déjeuner, puis nous filons au zoo.»

   c) Chaque année, plusieurs groupes d'animaux visitent le zoo…

   d) Comme chacun sait, les animaux sont curieux.

   e) «Hé! Je peux essayer tes jumelles? demande la girafe. Je veux voir la petite fille là-bas, près du ruisseau.»

f) «À droite, vous voyez toute une famille d'humains, annonce le guide pingouin. Nous passons maintenant devant une école.»

g) Jour après jour, un humain boudeur fait des grimaces aux animaux qui l'observent.

h) Les visiteurs peuvent toujours nourrir les humains en captivité.

i) «Youpi! Je vois un bébé! rugit un lionceau.»

j) C'est bien connu, tous les bébés sont adorables.

Étape 1 **Repère les verbes au présent dans les phrases ci-dessus.**

Étape 2 **Associe chaque phrase à un des usages du présent:**

1: Cela se produit au moment même où la personne parle.

2: Cela se produit à un moment proche du moment où la personne parle.

3: Cela est vrai à n'importe quelle époque.

4: Cela se produit régulièrement, comme une habitude.

2 **Forme une équipe avec un ou une camarade. Rassemblez les livres (manuels, romans, revues, etc.) que vous avez sous la main.**

a) **Ensemble, trouvez dans vos livres cinq courts passages écrits au présent.**

b) **Associez chaque passage à un des usages du présent décrits à l'étape 2 du numéro 1.**

3. **Lis le texte suivant.**

Un jour, je m'évade de prison par un tunnel. Malheureusement, j'arrive au zoo, dans la cage d'un lion! Je réfléchis. J'estime que ma cellule est plus douillette que cette cage... Je reviens donc dans ma cellule. Le lendemain, je me réveille très tôt et je vois un immense lion couché dans ma cellule!

Récris le texte à triple interligne en le commençant comme ceci: *Un jour, nous nous évadons de prison par un tunnel...*

Fais tous les changements nécessaires.

4. **Lis le texte suivant.**

Gustav est le plus courageux garçon de 9 ans. Il marche dans la forêt. Soudain, le brave jeune homme entend du bruit. Il croit qu'une bête sauvage approche. Un ours ? Un lion ? Un loup ? Gustav fait demi-tour. Il court le plus vite possible. Après quelques dizaines de mètres, il se retourne pour voir la bête. Dans le sentier, il aperçoit au loin une bergère et trois agneaux…

Étape 1 **Récris le texte à triple interligne en commençant ainsi :** *Julie et Claudia sont les plus courageuses filles de 9 ans.*

Étape 2 **Vérifie l'accord de chaque verbe en laissant des traces.**

5. **À toi de corriger une copie d'élève ! Vérifie l'accord des verbes.**

6. **Lis le début de l'histoire de la princesse Rutabaga.**

L'élégante princesse Rutabaga fait son entrée. Les autres invités se taisent. On regarde la princesse approcher d'une table. La pauvre se prend le pied dans sa robe, s'étale sur le buffet, atterrit dans la soupière et éclabousse la reine !

Étape 1 **Invente une suite à l'histoire de la princesse.**

- Tu peux te demander ce que dit la reine couverte de soupe.
- Tu peux aussi imaginer comment réagissent les invités.

Écris ta suite en cinq à sept phrases. Mets tes verbes au présent.

Étape 2 **As-tu bien accordé tes verbes ? Révise ton texte.**

7. **Forme une équipe avec deux camarades. Prenez connaissance des trois pistes d'écriture ci-dessous.**

1) Tu es journaliste et tu décris un exploit sportif que ton idole réalise sous tes yeux.

2) Tu es au téléphone avec un ou une camarade qui doit venir passer la journée chez toi : tu lui décris le programme de cette journée.

3) Tu parles à un ou une camarade et tu lui racontes une de tes activités habituelles.

Étape 1 Chaque membre de l'équipe choisit un sujet parmi les trois. Les trois sujets doivent être choisis. Ensuite, vous composez un court texte dans lequel les verbes seront conjugués au présent. Chaque texte comptera entre cinq et sept phrases.

Étape 2 Quand tu as terminé ton texte, vérifie l'accord de chacun de tes verbes en laissant des traces.

Étape 3 Quand les trois textes sont terminés et vérifiés, échangez vos textes. Vous vérifiez l'accord des verbes dans le texte de votre camarade. Les cas difficiles sont discutés en équipe ou soumis à l'ensemble de la classe.

8 À toi de corriger une copie d'élève ! Vérifie l'accord des verbes.

9 Lis le texte sur le document qu'on te remettra. Vérifie l'accord des verbes conjugués.

10 Prépare une dictée que tu donneras à un ou une camarade.

Étape 1 Compose cinq phrases dont le verbe est au présent. Les phrases n'ont pas besoin d'avoir un lien entre elles.

Voici les premiers mots de chaque phrase :

- **Phrase 1 :** Igor et Liane…
- **Phrase 2 :** On…
- **Phrase 3 :** Les membres de l'équipe de natation…
- **Phrase 4 :** Tout le monde…
- **Phrase 5 :** Les jeunes, sains et saufs, …

Étape 2 Vérifie l'accord de chaque verbe en laissant des traces de ton raisonnement.

Étape 3 Forme une équipe avec un ou une camarade. Dictez-vous vos phrases à tour de rôle.

Étape 4 Après la dictée, vérifiez l'accord de vos verbes.

Étape 5 Échangez vos copies pour les corriger.

4.2 L'imparfait de l'indicatif

A Observe l'usage de l'imparfait

Mimi Rikiki, journaliste au Bavard illustré, a rencontré Gédéon, 9 ans, témoin de l'atterrissage d'une machine à voyager dans le temps. Voici le texte de cette entrevue.

Mimi : Gédéon, raconte-nous ce que tu **faisais** hier après-midi. Tu **travaillais** avec ton père. Vous **étiez** dehors, n'est-ce pas ?

Gédéon : Oui. Nous **allions** au champ. Nous **pensions** faire beaucoup de travail. Nous **voulions** semer du maïs. Mais au loin, on **voyait** une étrange lueur rouge.

Mimi : Tu **devais** avoir peur…

Gédéon : Pas moi. Comme toujours, je **restais** brave et courageux. Mais je **disais** à mon père de se calmer. Lui, il **tremblait** et **claquait** des dents !

Mimi : Parle-nous de la machine. Est-ce qu'elle **ressemblait** à un avion ?

Gédéon : Non. En fait, deux machines **volaient** au-dessus du champ, une **était** ronde et l'autre **semblait** carrée. Pendant que la carrée **repartait** vers le ciel, la ronde **faisait** de la fumée, **venait** vers nous et **atterrissait** avec fracas.

Mimi : Pendant ce temps, est-ce que vous **pouviez** apercevoir les passagers ?

Gédéon : Oui, ils **ressemblaient** à des humains du futur. Ils **avaient** la peau bleue et **portaient** une casquette. Je **savais** déjà que ces voyageurs seraient gentils avec nous.

Situe sur la ligne du temps les évènements racontés dans ce texte.

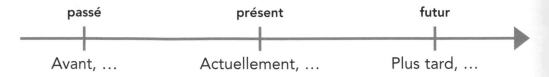

passé	présent	futur
Avant, …	Actuellement, …	Plus tard, …

Dis dans tes mots comment tu comprends où se situent ces évènements sur la ligne du temps.

Imparfait...
Quel drôle de mot pour désigner un temps de verbe !

B **Observe les terminaisons de l'imparfait**

Classe dans un tableau comme celui-ci tous les verbes conjugués à l'imparfait de l'indicatif. Ils sont en couleur dans le texte de la page précédente.

LES TERMINAISONS DE L'IMPARFAIT		
Personne	**Singulier**	**Pluriel**
1re	je	nous
2^e	tu	vous
3^e	il, elle, on, cela, ça	ils, elles

Décris les terminaisons de l'imparfait pour chaque personne de la conjugaison. Surligne-les dans ton tableau.

Prouve que ces terminaisons s'appliquent à tous les verbes, peu importe leur forme à l'infinitif.

Ça, c'est parfait !

NOTE : Il n'y a aucune exception dans les terminaisons des verbes à l'imparfait.

4.3 Le passé composé de l'indicatif

A Observe l'usage du passé composé

*Méo Potin, journaliste au Trotteur temporel, **a rencontré** Alexa Volan. À bord de sa machine à voyager dans le temps, Alexa devait explorer le passé.*

Méo : Alexa, tu **as tenté** un drôle de voyage. Est-ce que cela **a réussi** ?

Alexa : Non, mais malgré les problèmes, j'**ai pu** faire un beau voyage. Le matin du départ, mon ami Tom **est monté** à bord de sa machine et moi, j'**ai emprunté** une machine expérimentale, toute ronde. Ursule, ma sœur, **a insisté** pour m'accompagner. Nous **sommes partis** très tôt. Nous **avons volé** pendant quelques heures.

Méo : Il paraît que vous **avez éprouvé** des difficultés, que vous **avez senti** un choc après quelques heures de vol.

Alexa : En effet, j'**ai entendu** une explosion. J'**ai signalé** l'incident à Tom. Nous **avons vu** que les moteurs de mon engin laissaient échapper de la fumée. Ils **ont fait** un bruit terrible avant de prendre feu. J'**ai posé** mon engin dans un champ. Des gens **sont venus** à notre secours. Ils **ont été** très gentils. Ursule **a eu** un coup de foudre pour Gédéon, son sauveur… Elle lui **a parlé** de la vie dans le futur.

Situe sur la ligne du temps les évènements racontés dans ce texte.

passé	présent	futur
Avant, …	Actuellement, …	Plus tard, …

Dis dans tes mots comment tu comprends où se situent ces évènements sur la ligne du temps.

B Observe la formation du passé composé

Décris comment on forme le passé composé d'un verbe, en observant bien les mots en couleur dans le texte.

- D'après toi, pourquoi appelle-t-on ce temps le passé **composé** ?

Fais la liste de tous les premiers mots qui forment les verbes au passé composé.

- Quels sont ces mots ?
- Quel temps de verbe reconnais-tu ?

Encadre avec les mots de négation *ne ... pas* les verbes au passé composé.

- Lequel des deux mots du passé composé dois-tu encadrer pour que la phrase soit correcte ?

Transforme le dernier paragraphe du texte en le situant au présent. Pour t'aider, ajoute *«En ce moment»* dans ta tête au début de chaque phrase.

- Que se passe-t-il ? Lequel des deux mots du passé composé disparaît ?
- Quand un verbe est au passé composé, lequel des deux mots donne du sens à la phrase ?

Décris maintenant, pour chaque verbe au passé composé dans le texte, la finale du deuxième mot.

- Par quels sons ces mots se terminent-ils ?

Dis dans tes mots ce que tu as appris sur le passé composé.

Le mot juste

Pour former le passé composé d'un verbe, on a besoin de l'«aide» du verbe *avoir* ou du verbe *être* au présent. On dit alors que ces verbes servent d'**auxiliaires** dans la formation du passé composé. Cet auxiliaire s'accorde avec le sujet.

La deuxième partie du passé composé d'un verbe est ce verbe lui-même, dans une forme qu'on appelle le **participe passé**.
Le participe passé ne s'accorde pas de la même manière qu'un verbe conjugué. Souvent, il reste invariable, parfois, il s'accorde selon des règles que tu verras dans le chapitre 10.

Cherche le sens du mot *auxiliaire* dans le dictionnaire.

4.4 Le futur simple de l'indicatif

A Observe l'usage du futur simple

«Gédéon, si tu veux venir avec moi dans le futur, il faut que je te dise comment tu y **vivras**. Je te **révélerai** tout ce que je sais. Cependant, tu **garderas** secret tout ce que je te **raconterai**. J'espère que je **saurai** te convaincre de tenter le voyage.

Dans le futur, les humains **choisiront** la couleur de leur peau. En l'an 3049, par exemple, le bleu **sera** à la mode. Chaque personne **portera** une casquette. Des panneaux solaires en **remplaceront** la visière. Un savant **réussira** à inventer un jujube nourrissant en 3017. Les humains du futur **raffoleront** de ces jujubes dorés!

À ton arrivée en 3049, tu **glisseras** des antennes dans tes oreilles. Nous **communiquerons** grâce à ces antennes reliées au téléphone que nous **accrocherons** à notre poignet. Tu **placeras** une caméra devant ton œil droit. Elle **enregistrera** toutes les images que tu **voudras**. Tes amis et toi, vous **échangerez** vos images préférées. Grâce à des lunettes spéciales, vous **lirez** dans les pensées des autres! Vous **prendrez** l'autobus volant pour aller à l'école où vous **étudierez** la vie en l'an 2000…»

Situe sur la ligne du temps les évènements racontés dans ce texte.

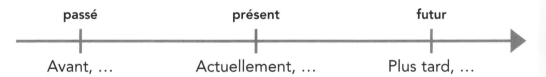

passé	présent	futur
Avant, …	Actuellement, …	Plus tard, …

Dis dans tes mots comment tu comprends où se situent ces évènements sur la ligne du temps.

B Observe les terminaisons du futur simple

Classe tous les verbes du texte qui sont conjugués au futur dans un tableau comme celui ci-dessous.

LES TERMINAISONS DU FUTUR SIMPLE		
Personne	**Singulier**	**Pluriel**
1re	je	nous
2^e	tu	vous
3^e	il, elle, on, cela, ça	ils, elles

Décris les terminaisons du futur pour chaque personne de la conjugaison. Surligne-les dans ton tableau.

Vérifie si ces terminaisons s'appliquent à tous les verbes, peu importe leur forme à l'infinitif.

NOTE : Il n'y a aucune exception dans les terminaisons des verbes au futur.

4.5 Le conditionnel présent de l'indicatif

A Observe l'usage du conditionnel

— Papa, je **pourrais** accompagner Ursule chez elle ?

— Mon Gédéon, tu **quitterais** tes amis et ta famille ? Tu **partirais** pour toujours… Nous **serions** tristes de te perdre. Si tu partais, je **devrais** garder le silence sur ton étrange voyage. Pense à tes copains. Ils te **chercheraient** partout. Jamais ils n'**accepteraient** que tu disparaisses comme ça.

— J'ai une idée, papa ! J'**inviterais** ma famille et mes amis à me suivre. Nous **dirions** adieu à notre époque. Nous **changerions** tous de vie et nous **rencontrerions** de nouveaux voisins !

— Mon fils, tu manques de sérieux. Si on te suivait, on **abandonnerait** la ferme. Personne ne **récolterait** mon maïs. Personne ne **nourrirait** mes vaches. La laiterie **cesserait** de fonctionner…

— J'ai une meilleure idée ! Maman et toi, vous **pourriez** venir nous rejoindre plus tard. Vous **trouveriez** quelqu'un qui **garderait** la ferme. Ensuite, si maman le voulait, elle me **téléphonerait**. Je **passerais** vous chercher et je vous **emmènerais** dans le futur.

Décris la nuance de sens qu'amènent les verbes au conditionnel.

- Pour t'aider, transforme la dernière phrase du texte en conjuguant les verbes au futur puis au présent.
- Compare le sens de ces trois phrases. Que constates-tu ?
- Peux-tu situer les évènements de ce texte sur la ligne du temps ?

Dis dans tes mots ce qu'exprime un verbe au conditionnel.

Repère les phrases qui commencent par *si* dans le texte.

- Combien de verbes conjugués contient chacune d'elles ? À quel temps sont-ils conjugués ?
- Imagine que tu parles à tes amis, de quelle façon dirais-tu ces mêmes phrases ? Devrais-tu parler de la même façon si tu t'adressais aux parents du comité d'école ?

Dis dans tes mots comment on construit une phrase qui commence par *si* quand on écrit.

B Observe les terminaisons du conditionnel

Classe dans un tableau comme celui ci-dessous tous les verbes du texte qui sont conjugués au conditionnel présent.

LES TERMINAISONS DU CONDITIONNEL PRÉSENT		
Personne	**Singulier**	**Pluriel**
1re	je	nous
2^e	tu	vous
3^e	il, elle, on, cela, ça	ils, elles

Décris les terminaisons du conditionnel présent pour chaque personne de la conjugaison. Surligne-les dans ton tableau.

Vérifie si ces terminaisons s'appliquent à tous les verbes, peu importe leur forme à l'infinitif.

NOTE: Il n'y a aucune exception dans les terminaisons des verbes au conditionnel présent.

4.6 Le futur proche de l'indicatif

Voici un temps de verbe qui ne se forme vraiment pas comme les autres. Tu l'as sans doute déjà deviné, il s'agit d'un temps qui se situe dans le futur sur la ligne du temps. C'est même le temps du futur que tu utilises le plus souvent.

■ Observe la formation du futur proche

«Attention! Attention! Le vaisseau **va décoller** dans quelques instants.

— Tu **vas voir**, Gédéon, un décollage de machine à voyager dans le temps, c'est vraiment impressionnant, lui dit Ursule.

— J'ai des papillons dans le ventre. Est-ce que nous **allons voyager** longtemps?

— Toute la journée. Pour fêter ta venue, mes parents **vont organiser** une fête.»

Sur ces mots, le vaisseau se met à trembler et à gronder, puis il décolle.

«Je sens que je **vais avoir** le mal de l'air! s'exclame Gédéon.» À ce moment, l'écran du vaisseau s'illumine. Ce sont les parents d'Ursule.

«Bonjour, les jeunes! Nous vous attendons pour le souper. Vous **allez raffoler** du festin qu'on a préparé: du B614 et un peu de KZ100 à la sauce XYZ.»

Gédéon se demande s'il a bien fait de suivre son amie…

Décris comment on forme le futur proche d'un verbe en observant bien les mots en couleur dans le texte.

- S'agit-il d'un temps simple ou d'un temps composé ? Pourquoi ?
- Quels sont les premiers mots qui forment les verbes au futur proche ? de quel verbe s'agit-il ? à quel temps est-il conjugué ?

- Quels sont les deuxièmes mots qui forment les verbes au futur proche ?
- Que constates-tu ?

Dis dans tes mots comment se forme le futur proche d'un verbe.

4.7 Le présent du mode impératif

Tu connais de nombreux temps de verbes du mode indicatif comme le présent, l'imparfait, le passé composé, le futur… mais dans cette section, on change de mode !

Ne parle pas ici de LA mode mais DU mode ! Allons voir ce mode impératif !

Tu vas reconnaître une façon d'employer les verbes que tu entends souvent : le présent du mode impératif.

TEXTE 1

Les verbes en violet sont au présent de l'indicatif.

«Maman, je pense que Gédéon s'ennuie. Il a l'air triste.

— C'est possible, mon trésor. Tu veux mon avis ?

Tu **sors** un papier et un crayon, tu **penses** à ce qui plairait à Gédéon et tu **fais** la liste de ses activités préférées. Ensuite, tu **téléphones** à tes amies et tu leur **demandes** de t'aider à préparer une fête pour Gédéon. Vous **mettez** vos idées en commun, vous **choisissez** les meilleures et vous **organisez** une surprise.

— Bonne idée !»

Ursule rassemble trois de ses camarades. Après leur discussion, elle résume leur plan.

«Nous **commençons** par du bricolage, nous **continuons** avec une chasse au trésor et nous **finissons** la fête par une grande danse. Et d'ici la fête, nous **gardons** le silence sur notre projet.»

TEXTE 2

Les verbes en bleu sont au présent de l'impératif.

«Ursule, je ne suis pas fière de toi. Ton ami Gédéon s'ennuie ici. Occupe-toi un peu de lui !

Sors un papier et un crayon, **pense** à ce qui lui plairait et **fais** la liste de ses activités préférées. Ensuite, **téléphone** à tes amies et **demande**-leur de t'aider à préparer une fête pour Gédéon. **Mettez** vos idées en commun, **choisissez** les meilleures et **organisez** une surprise.»

Ursule rassemble trois de ses camarades. Elles n'arrivent pas à se décider sur le choix des activités. Après de longues minutes, Ursule tranche la question :

«**Commençons** par du bricolage, **continuons** avec une chasse au trésor et **finissons** la fête par une grande danse. Et d'ici la fête, **gardons** le silence sur notre projet.»

Compare le texte au mode indicatif avec le texte au présent du mode impératif.

- Quelles différences trouves-tu dans le sens ? dans la construction des phrases ?
- À quelles personnes sont conjugués les verbes au présent de l'impératif ?

B Observe **les terminaisons du présent de l'impératif**

Classe les verbes au présent de l'impératif dans un tableau : recopie dans une même colonne tous les verbes qui ont la même terminaison. Ton tableau contiendra autant de colonnes qu'il y a de terminaisons différentes.

Décris les terminaisons du présent de l'impératif pour chaque personne de la conjugaison. Surligne-les dans ton tableau.

Indique la personne au-dessus de chaque colonne.

Trouve la règle qui te permet de savoir comment se termine n'importe quel verbe au présent de l'impératif à la 2ᵉ personne du singulier.

En plus d'avoir la même finale, les verbes d'une colonne partagent une autre caractéristique. Transforme les verbes de diverses façons pour la faire apparaître.

Dis dans tes mots ce que tu connais maintenant du présent de l'impératif.

Voici quelques **exceptions** dans les terminaisons des verbes au présent de l'impératif.

Exceptions aux terminaisons de la 2ᵉ personne du singulier		
le verbe	**se termine par**	
aller	**-a**	va
cueillir, accueillir, recueillir *offrir, souffrir* *ouvrir, couvrir, découvrir*	**-e**	cueille, accueille, recueille offre, souffre ouvre, couvre, découvre

Exceptions aux terminaisons à toutes les personnes			
avoir	**être**	**savoir**	**vouloir**
aie	sois	sache	*
ayons	soyons	sachons	*
ayez	soyez	sachez	veuillez

*jamais utilisé

Récapitule

- Complète les phrases suivantes. Associe chaque début de phrase à l'utilisation d'un **temps de verbe** adéquat pour la compléter. Apprends-les par cœur pour savoir conjuguer tes verbes plus facilement.

  > Hier, j'ai… Hier, je suis…
  > Quand je serai grande, je…
  > Bientôt, je vais…
  > Si je pouvais, …
  > Quand j'étais petit, je…
  > Louison ! … immédiatement !

- Révise tous les tableaux de conjugaison que tu as remplis pour tous les temps étudiés. Prépare-toi à un concours de verbes conjugués.

- Pour éviter les erreurs dans les terminaisons de verbes à l'écrit, fais un tableau des **lettres muettes** selon les terminaisons de chaque temps étudié, pour chaque personne du singulier et du pluriel.

  Que constates-tu ?

Exercices

➡ p. 272 à 274

Avant d'aller plus loin

➡ p. 178 Relis d'abord la procédure d'accord du verbe.

1 **Lis l'aventure de Brutus l'ours noir.**

Hier, Brutus a rencontré Mimi l'abeille. Il voulait aller
à la ruche, mais Mimi a bloqué la route. Elle savait que
l'ours voudrait voler le miel de la ruche. L'ours a ri de
l'abeille. Il trouvait Mimi trop petite pour arrêter un ours
aussi fort que lui. Soudain, l'abeille a sifflé. Des centaines d'abeilles
ont quitté la ruche. Elles n'attendaient que le signal de Mimi. Voyant
cela, le gros mammifère a décidé d'abandonner le savoureux miel.
L'ennemi était supérieur en nombre !

Étape 1 **Récris ce texte à quadruple interligne. Repère tous les
verbes conjugués et leur sujet. Pour chacun, laisse des traces.**

Étape 2 **Récris l'aventure de Brutus au futur simple, comme si
elle allait se produire demain. Fais tous les changements
nécessaires.**

2 **Voici une chaîne de phrases en *Si* :**

Si j'avais des ailes, je volerais.
Si je volais, je traverserais la mer.
Si je traversais la mer, je visiterais d'autres pays.
Si je…

**En utilisant, dans l'ordre, les verbes *visiter*, *rencontrer*, *(se) faire*,
inviter et *avoir*, ajoute quatre phrases à la chaîne. Commence
comme ceci : *Si je visitais d'autres pays, je…***

3 Invente une chaîne de phrases en *Si* semblable à celle du numéro 2.

Consignes :

– Commence tes quatre phrases par *Si*.

– Utilise les mêmes temps de verbe qu'au numéro 2.

– Conjugue tes verbes à la 2ᵉ personne du pluriel.

– Utilise, dans l'ordre, les verbes *aller*, *choisir*, *lire*, *découvrir*, *avoir* et *être*.

Voici le début de ta première phrase :
Si vous alliez à la bibliothèque, vous…

4 Voici quelques conseils pour se préparer à passer une bonne nuit. Lis-les.

a) Boire un verre de lait.

b) Prendre un bain et jouer avec les bulles.

c) Oublier les petits chagrins.

d) Faire un brin de lecture au lit.
Lire des histoires endormantes…

e) Plonger la chambre dans le noir.

f) Embrasser son toutou préféré.

g) Penser au plus beau moment de sa journée.

Sur une feuille, récris les sept conseils en remplaçant les verbes à l'infinitif par des verbes conjugués au présent de l'impératif, à la 2ᵉ personne du singulier. Apporte tous les changements nécessaires.

5 Pour toi, qu'est-ce qu'une fête vraiment réussie ?

Étape 1 Sur une feuille, écris sept conseils pour réussir une belle fête. Tous les verbes conjugués seront au présent de l'impératif.

Étape 2 Vérifie maintenant la terminaison de tes verbes. Encadre tes verbes conjugués et vérifie que les terminaisons sont bien celles du présent de l'impératif.

6 À toi de corriger une copie d'élève ! Vérifie le travail qui a été fait sur l'accord des verbes.

7 Prépare des phrases que tu donneras en dictée à un ou une camarade.

Étape 1 Compose huit phrases. Elles n'ont pas besoin d'avoir un lien entre elles. Dans chaque phrase, le verbe sera à l'imparfait.

Utilise les verbes suivants (une seule fois chacun):
jouer, réfléchir, penser, danser, bondir, couper, rougir, faire.

Choisis le sujet de tes phrases parmi les suivants (une seule fois chacun):
Tu, Elle, John et Véronique, On, Les groupes de musiciens de l'école, Je, Ils, Vous.

Étape 2 Vérifie l'accord de chaque verbe en laissant les traces nécessaires.

Étape 3 Forme une équipe avec un ou une camarade. Dictez-vous vos phrases à tour de rôle.

Étape 4 Après la dictée, l'équipe vérifie l'accord des verbes dans les deux séries de phrases.

8 À toi maintenant de vérifier l'accord des verbes dans un texte.

9 Demande à un ou une adulte de te parler en détail d'une activité pratiquée dans sa jeunesse.

Exemples d'activités: lire, aller au cinéma, faire de la musique, pratiquer un sport.

Étape 1 Compose un texte de six à huit phrases à partir de l'information que tu as recueillie. Tes verbes seront presque tous conjugués à l'imparfait.

Voici un début de texte qui t'inspirera peut-être:
Dans sa jeunesse, mon oncle Jean-Louis allait souvent à la pêche…

Étape 2 Vérifie l'accord de chaque verbe conjugué en appliquant la procédure de révision.

10 L'accord du participe passé

L'accord du **participe passé** (**PP**), c'est la règle d'accord la plus compliquée du français ! Tu apprendras ici les cas les plus simples. Heureusement, ce sont aussi les cas les plus fréquents !

A Observe les participes passés

Verbe à l'infinitif	Participe passé du verbe	Verbe à l'infinitif	Participe passé du verbe
réfléchir	→ réfléchi	pouvoir	→ pu
suivre	→ suivi	lire	→ lu
savoir	→ su	penser	→ pensé
filmer	→ filmé	regarder	→ regardé
finir	→ fini	servir	→ servi
venir	→ venu	partir	→ parti
arriver	→ arrivé	vouloir	→ voulu

Décris les verbes au participe passé.

• **Quelles terminaisons trouves-tu ?**

Compare les verbes au participe passé et à l'infinitif.

• **Quels verbes se prononcent de la même façon ?**

Exceptions aux terminaisons des verbes au participe passé		
Vinf	**PP au masculin**	**PP au féminin**
prendre	pris	prise
asseoir	assis	assise
mettre	mis	mise
écrire	écrit	écrite
faire	fait	faite
dire	dit	dite

Pour savoir si un participe passé se termine par un **s** *ou un* **t** *muet au masculin, dis-le au féminin.*

B Observe **où se trouvent les participes passés dans la phrase**

Hier après-midi, j'ai oublié mon parapluie. Il était perdu ! J'ai raconté mon malheur à la maison. Mon père était fâché… Ce matin, surprise ! En montant dans l'autobus scolaire, j'ai vu mon parapluie. Il était resté à ma place. Il m'avait attendu là. Quand je suis arrivé à l'école, j'ai choisi de laisser mon parapluie dans l'autobus, certain de le retrouver à la fin de la journée !

À la fin de la journée…

Je monte dans l'autobus. Plus de parapluie ! À la maison, je raconte mon nouveau malheur. Mon père fâché refuse de remplacer le parapluie perdu. À l'avenir, il veut que je porte le vieil imperméable jauni de mon grand frère.

Repère les participes passés dans le texte ci-dessus. Pour t'aider, utilise un dictionnaire de verbes.

- Où se trouvent-ils dans le premier paragraphe ?
- Quels mots précèdent les participes passés ? Que remarques-tu ?
- Où se trouvent les participes passés dans le dernier paragraphe ?

Dis dans tes mots quelles sont les positions du participe passé dans une phrase.

> Le participe passé sert à former un temps de verbe que tu connais. Lequel ?
> ⟹ p. 272

C Observe un test pour distinguer le participe passé en *-é*
du verbe à l'infinitif en *-er*

Pour apprendre à ~~perdu~~   Tran a perdu
Pour apprendre à perdre   Tran a ~~perdre~~

Pour apprendre à contrôler sa peur des insectes, Tran a visité
l'Insectarium.

la visite perdue   une scientifique a perdu
la visite ~~perdre~~   une scientifique a ~~perdre~~

Pendant la visite guidée, une scientifique a expliqué comment

pour ~~perdu~~   Tran veut ~~perdu~~
pour perdre   Tran veut perdre

les tarentules font pour attraper leurs proies. Tran veut continuer

est perdue
est ~~perdre~~

mais la visite est terminée.

*Psitt! les adultes
aussi se trompent parfois
s'ils ne font pas attention quand
ils écrivent des participes passés
en **-é** ou des infinitifs
en **-er**.*

Décris le test illustré ci-dessus.

- Quels mots remplace-t-on dans la phrase ?
- À quelle classe de mots appartient *perdre* ? *perdu* ?
- Fais la liste des mots qui peuvent être remplacés par *perdu*.
  Que remarques-tu ?
- Fais la liste des mots qui peuvent être remplacés par *perdre*.
  Que remarques-tu ?

Dis dans tes mots comment on
procède pour distinguer le participe passé
en **-é** du verbe à l'infinitif en **-er**.

D **Observe** un autre moyen pour distinguer le participe passé en *-é* du verbe à l'infinitif en *-er*

Pour le participe passé :

• **Un 1ᵉʳ lieu sûr**

Les filles ont organisé une fête.

Nous avons joué à la cachette.

Max aurait glissé sur une peau de banane.

Tu es tombée dans les pommes.

Olivier est arrivé en retard.

Le vent est déchaîné.

• **Un 2ᵉ lieu sûr**

La vétérinaire soigne un oiseau blessé.

J'ai trouvé un vélo rouillé.

Un arbre déraciné barre la rue.

Pour le verbe à l'infinitif :

• **Un lieu sûr**

J'apprends à parler le russe.

Cesse de jouer avec tes légumes !

Je participais à la course pour m'amuser.

Mon chat restera là sans bouger.

Lydia commence à s'impatienter.

Mon ami me demande de travailler avec lui.

• **Un lieu presque sûr**

Ludo peut rester chez ses amis.

Han voulait demander la permission.

On espère demeurer ici.

Les amies doivent coucher sous la tente.

Vous aimerez regarder les étoiles.

Je vais rentrer bientôt.

Découvre ces lieux sûrs pour le participe passé.

• Où sont situés les PP dans les phrases du 1ᵉʳ lieu ? du 2ᵉ lieu ?

Vérifie, dans les phrases de droite, que les verbes infinitifs ne sont jamais dans les mêmes positions que les PP.

• Quels sont les lieux sûrs ou presque sûrs pour les verbes infinitifs ?

Dis dans tes mots comment savoir si tu dois écrire un participe passé en *-é* ou un infinitif en *-er* en te servant de sa position.

NOTE : Après le verbe *paraître* ou le verbe *sembler*, on trouve parfois un participe passé, parfois un verbe infinitif :

Julie semble aimer le sport.   Ludo semble connaître la solution.

Julie semble aimée de tous.   La solution semble connue de tous.

E Observe quand et comment le participe passé s'accorde

TEXTE 1

Des oies sont venues vivre près de l'étang derrière chez moi. Elles ne sont pas apprivoisées mais, d'après moi, elles ne sont pas sauvages. Au milieu de l'étang, il y a deux pierres grises. Souvent, les oies sont couchées au soleil, sur ces pierres usées. Elles sont endormies, leurs ailes repliées.

TEXTE 2

Il y a très longtemps, deux jeunes filles ont apprivoisé des oies sauvages. Pour empêcher ces oies de voler, les demoiselles leur ont coupé les plumes. Puis, elles ont entouré l'étang des oies d'une clôture blanche. Mais les plumes ont repoussé. Et les oies ont réussi à s'échapper.

> Rappelle-toi,
> **un mot invariable** est un mot qu'on n'accorde pas.

Compare les participes passés des textes 1 et 2.

- Dans quel texte les PP sont-ils invariables ?
- Quelles marques d'accord reconnais-tu à la fin des PP de l'autre texte ?
- Un PP s'accorde-t-il de la même manière qu'un verbe conjugué ? Explique ta réponse en donnant des exemples.

Décris les positions que les PP occupent dans les textes 1 et 2.

- Quelle position distingue les PP invariables des autres ?
- Dans quels cas faut-il accorder un PP ?
- Dans quel cas il ne faut pas accorder un PP ?

Trouve avec quel mot chaque PP est accordé dans le texte 1.

- Quels mots donnent leur genre et leur nombre au PP ?
- Que peux-tu dire de ces mots ? Leur classe, leur fonction…

Dis dans tes mots dans quels cas et de quelle façon tu dois accorder les PP.

Fais des liens. Lorsque le PP s'accorde, il suit la même règle qu'une autre classe de mots. Laquelle ?

Récapitule

Écris une marche à suivre pour accorder les **participes passés** dans les textes que tu écris : comment les reconnaître et les accorder.

⇒ p. 275 à 277

Exercices

Avant d'aller plus loin

Voici les traces à laisser pour prouver que tu as repéré un participe passé et que tu l'as bien accordé.

1. Remplace le PP par un autre en *-i* ou *-u* (*perdu, fini, mordu…*).

2. Souligne-le et écris PP dessous.

3. Trouve dans quel **cas** le PP est employé et vérifie son accord.

- **Cas n° 1 : *être* + PP**

  a. Encadre le verbe *être* devant le PP et écris Vêtre au-dessous.

  b. Repère le GN-S ou le Pron.-S et écris son genre et son nombre au-dessous.

  c. Vérifie si le PP a le genre et le nombre du GN-S ou du Pron.-S.

  d. Si nécessaire, corrige le PP.

  Exemple :

  [Mes grands-parents] sont venu*s* à la maison.
  fini
  GN-S m.pl.   Vêtre   PP m.pl.

  > Le *PP* avec être *ou* dans un **GN** *s'accorde comme un adjectif :* **-e** *pour le* **féminin**, **-s** *pour le* **pluriel**.

- **Cas n° 2 : PP dans un GN**

  a. Souligne le GN qui contient le PP et écris GN dessous :
  – sous le déterminant, écris D ;
  – sous le nom, écris N.

  b. Écris le genre et le nombre du nom.

  c. Vérifie si le PP a le genre et le nombre du nom.

  d. Si nécessaire, corrige le PP.

  Exemple :
  fini
  Notre recette inventé*e* fut un échec.
  D   N f.s.   PP f.s.
  GN f.s.

- Cas n° 3 : *avoir* + PP

   a. Encadre le verbe *avoir* devant le PP et écris V*avoir* dessous.

   b. Sous le PP, écris PP *invar*.

   Exemple :

   Nous ⎡avons⎤ *fini*
   Nous ⎣avons⎦ fait du pain.
   V*avoir* PP *invar.*

   > *Le participe passé*
   > **avec *avoir* ne s'accorde pas...**
   > *(sauf dans quelques cas que tu verras*
   > *plus tard).*

1 Repère tous les participes passés contenus dans le texte qu'on te remet. Pour chacun, laisse des traces.

2 Compose trois phrases. Chacune doit comporter un verbe à l'infinitif en *-er* et un participe passé en *-é* (ou *-ée*, *-és* ou *-ées*).

Exemples de phrases :

Dolène avait décidé d'adopter deux chiens.
Ces chiens bien dressés pouvaient aider les non-voyants.

a) **Vérifie les verbes à l'infinitif et les participes passés en laissant des traces.**

b) **Dicte tes phrases à un ou à une camarade, puis corrigez-les.**

3 **Lis le texte suivant.**

Axelle et Stéphanie perdent leur petit frère à la librairie.
Elles le cherchent partout. Elles vont voir les agents
de sécurité. Ils viennent les aider. Après plusieurs
minutes, elles trouvent le petit caché avec son
chat et lisant une bande dessinée.

À la maison, maman envoie fiston réfléchir
dans sa chambre. Le petit et son chat montent,
ils ferment la porte, puis ils retrouvent leur collection
de bandes dessinées !

**Transforme ce texte au présent en texte au passé composé.
Fais les accords de participes passés nécessaires et laisse
des traces de ton raisonnement. Commence ton texte comme
ceci :** *Hier, Axelle et Stéphanie ont perdu leur petit frère à la
librairie.*

4 **Lis le texte ci-dessous.**

Marguerite et Florent sont heureux : ils vont pique-niquer au parc.
Le soleil est splendide. La température est douce. Malheureusement,
des fourmis rouges sont au rendez-vous. Une mouette bruyante se
met aussi de la partie !

a) **Transforme ce texte en remplaçant chaque adjectif par un
des participes passés parmi les suivants :** *affamé, blessé,
décidé, glacé, levé, sorti.*
Le texte sera très différent, mais il doit toujours avoir du sens.

b) **Vérifie l'accord des participes passés en laissant des traces.**

5 **À toi de corriger un texte ! Vérifie l'accord des participes passés.**

> Retenir l'orthographe des mots, tout le monde dit que c'est difficile.

Sais-tu qu'écrire le français a déjà été plus compliqué que maintenant ?

Par exemple, il y a longtemps, les lettres j et v n'étaient pas encore inventées.

– sujet	**s'écrivait**	subiect
– adjectif		adiectif
– aventure		aduenture
– devoir		debuoir
– avril		apuril

Les accents n'étaient pas utilisés.

– égal	**s'écrivait**	esgal
– écrire		escrire
– être		estre
– fenêtre		fenestre
– âge		aage

Les mots avaient encore plus de lettres qui ne se prononçaient pas.

– un	**s'écrivait**	ung
– parfait		parfaict
– blé		bled
– nu		nud
– mieux		mieulx
– haut		hault

Comme tu vois, au fil des ans on a rendu l'orthographe un peu plus facile à retenir. Mais tout n'est pas parfait et il reste du travail à faire.

À travers les activités de cette partie, tu apprendras, entre autres, à chercher les mots dans le dictionnaire et à retenir leur orthographe.

Qu'en sais-tu, qu'en penses-tu?

- Que fais-tu quand tu doutes de l'orthographe ou du sens d'un mot?

- Trouves-tu que l'orthographe des mots est difficile à retenir? Comment fais-tu pour la retenir?

- Selon toi, les mots d'aujourd'hui ont-ils des lettres qui ne se prononcent pas? Donne quelques exemples.

Consulter un dictionnaire

A Observe des informations qu'on trouve dans un dictionnaire

étiquette nom féminin. Une étiquette est un petit morceau de papier ou de carton fixé sur un objet et qui donne un renseignement : *le prix du manteau est écrit sur l'étiquette.*

compter verbe. **1.** *Jonathan sait compter jusqu'à cinquante,* il sait dire les nombres dans l'ordre.
2. *Robin compte son argent,* il fait la somme de toutes ses pièces et de tous ses billets.
3. *Papa compte sur moi pour ranger ma chambre,* il me fait confiance, il sait que je le ferai.
4. *Ma grande sœur compte aller en Angleterre l'été prochain,* elle a l'intention d'y aller. [...]

silencieux, silencieuse adjectif. **1.** *La nuit, tout est silencieux,* on n'entend aucun bruit. • Synonymes : calme, tranquille. Contraire : bruyant.
2. *Pendant tout le repas, Anaïs est restée silencieuse,* elle n'a pas parlé.

Dictionnaire Larousse des débutants © Larousse / HER 2000

Survole les différentes informations dans les articles ci-dessus.

- Où peux-tu vérifier l'orthographe du mot ?
- Comment peux-tu savoir à quelle classe appartient le mot que tu cherches ?
- Comment les différents sens d'un même mot sont-ils indiqués ?
- Où trouves-tu l'explication du sens de chaque mot ?
- Où trouves-tu les exemples illustrant le sens des mots ?
- Quelles autres informations peux-tu trouver dans le dictionnaire pour certains mots ?

Dis dans tes mots tout ce que tu peux apprendre en lisant un article de dictionnaire.

Comme tu le constates, le dictionnaire est une vraie mine de renseignements sur les mots !

> *C'est aussi un gros livre que tu dois t'habituer à utiliser. Regarde-le de plus près. Ensuite, tu seras plus rapide pour trouver un mot.*

B ## Observe **comment les mots sont répartis dans un dictionnaire**

Ouvre ton dictionnaire en deux parties égales.
- **Par quelle lettre commencent les mots au milieu du dictionnaire ?**
- **Où se situe cette lettre dans l'alphabet ? Est-elle au milieu ?**
- **Que peux-tu conclure à propos des lettres regroupées dans chacune des moitiés du dictionnaire ?**

Ouvre ton dictionnaire en trois parties égales.
- **Quelles lettres sont regroupées dans le premier tiers du dictionnaire ? dans le deuxième tiers ? dans le troisième ?**

Examine l'épaisseur de la section de chacune des lettres.
- **Que constates-tu ?**

C ## Observe **un outil pour t'aider à trouver les mots dans un dictionnaire**

Ouvre ton dictionnaire à une page au hasard. Il y a deux mots dans le haut de cette page.
- **À quoi servent ces mots ?**

Le mot juste

On appelle **mots-repères** ces mots qui indiquent le premier et le dernier mot présentés sur une page de dictionnaire.

Montre ta compréhension.

- **Si tu cherches le mot *navire* et que les mots-repères de la page sont *nation* et *ne*, es-tu à la bonne page ? Pourquoi ?**
- **Si tu cherches *nager*, es-tu à la bonne page ? Pourquoi ?**

D Observe **comment surmonter deux difficultés**

1. Tu as écrit :
Rodolphe fait une recherche sur les ~~otruches~~.

Il manque encore un mot dans mon dictionnaire !

Tu as un doute sur la façon d'écrire le mot *otruches*. Cherche-le dans le dictionnaire.

• **Le trouves-tu ? pourquoi ?**

Trouve d'autres façons d'écrire ce mot, surtout d'autres façons d'écrire le début du mot. Cherche à nouveau dans le dictionnaire.

2. Tu as écrit :
Rodolphe sait ~~conter~~ jusqu'à cent.

Le dictionnaire m'a fait faire une faute !

Tu as un doute sur la façon d'écrire le mot *conter*. Cherche-le dans le dictionnaire.

• **Le trouves-tu ? S'agit-il du bon mot ? Comment peux-tu le savoir ?**

Dis dans tes mots comment surmonter ces deux difficultés.

Récapitule

Fais une affiche pour retenir ce que tu as appris dans cette section sur les informations qu'on trouve dans un **dictionnaire** et sur l'utilité des **mots-repères**. Donne des exemples pour illustrer ce que tu as retenu.

Exercices

➡ p. 278

1. **Classe en ordre alphabétique les mots ci-dessous. Fais ce travail le plus vite possible.**

   a) peluche, maison, bottin, gazelle, chiffre;

   b) dix, divers, disque, dire, dindon, difficile;

   c) bouteille, bougie, bouquet, bouchon, bouillon, boulevard;

   d) carcasse, caribou, carré, carotte, carton, caractéristique, cartable, carie;

   e) perdrix, prendre, perdre, perte, personne, perruche, pendule, période, pente.

2. **On t'a fait parvenir des devinettes codées. À l'aide du code secret, déchiffre-les.**

   a) **Message à décoder:**
   B rvfm foespju bwsjm ftu-jm bwbou nbst? Ebot mf ejdujpoobjsf.
   Code: Plus une lettre (ex.: a = b, b = c, c = d, d = e, e = f, f = g, ... z = a)

   b) **Message à décoder:**
   Mntr uhunmr czmr kd bhdk nt czmr kz ldq. Ptd rnlldr-mntr?
   Kdr dsnhkdr.

   Code: Moins une lettre (a = z, b = a, c = b, d = c, e = d, f = e, etc.)

   c) **Message à décoder:**
   Oqp rtgokgt guv wp gpugodng. oqp ugeqpf guv wp qkugcw dcxctf. Oqp vqwv guv wp lqwgv swk vqwtpg. Swg uwku-lg? Wpg vqwrkg.

   Code: Plus deux lettres (ex.: a = c, b = d, c = e, d = f, ... x = z, y = a, z = b)

Swg uwku-lg?

?

3. **À toi de coder les deux devinettes suivantes.**

   a) **Message à coder:**

   Que fait un pou sur une cloche? Pouding!

   Code: Plus une lettre (ex.: a = b, b = c, c = d, d = e, e = f, etc.)

   b) **Message à coder:**

   Qu'est-ce qui peut faire le tour du monde en restant collé dans son coin? Un timbre.

   Code: Moins une lettre (a = z, b = a, c = b, d = c, e = d, f = e, etc.)

4. **Vrai ou faux? Prouve ta réponse de la manière suivante:**

   Exemples:

   – Dans le dictionnaire, *banane* est entre *baleine* et *barrière*.

   Vrai:

   ```
   baleine                barrière

   ... k, l, m, n, o, p, q, r, s, ...

            banane
   ```

   – Dans le dictionnaire, *muscle* est entre *musée* et *musique*.

   Faux:

   ```
        musée      musique

   a, b, c, d, e, f, g, h, i, j, k, ...

     muscle
   ```

   Dans le dictionnaire,

   1) *coffre* se trouve entre *cloche* et *corneille*.

   2) *avoine* se trouve entre *avoir* et *avril*.

   3) *bonsoir* se trouve entre *bleuet* et *boulevard*.

   4) *pilote* se trouve entre *peuple* et *poule*.

   5) *timide* se trouve entre *théâtre* et *tortue*.

5 Trouve le mot qui correspond à toutes les définitions d'un bloc. Attention ! D'une définition à l'autre, le mot se prononce de la même manière, mais il s'écrit différemment. Vérifie l'orthographe des mots dans le dictionnaire.

Exemple :

Les automobiles et les camions roulent dessus. (*voie*)
Elle peut être grave, douce, criarde, etc. Elle est faite de sons. (*voix*)

1) – C'est un cochon.
   – C'est l'endroit où vont les bateaux pour charger et décharger leur cargaison.

2) – En camping, elle sert de maison.
   – C'est la sœur de ta mère. C'est donc ta…

3) – C'est un récipient. Tu l'utilises pour transporter du sable.
   – Mouvement que tu fais pour t'élever du sol.
   – C'est un imbécile !

4) – C'est une immense étendue d'eau salée.
   – Il a été élu pour diriger la ville.
   – Elle t'a mis au monde.

5) – On le met après un hameçon pour attirer les poissons.
   – On s'en sert pour boire.
   – C'est la couleur du sapin.

6. **Les mots ci-dessous sont mal écrits.**

a) **Propose deux ou trois autres manières d'écrire chacun de ces mots.**

b) **Trouve la bonne orthographe dans le dictionnaire.**

c) **À partir de chaque mot corrigé, compose une courte phrase.**

1) éguille
2) jenbon
3) déssendre
4) vésselle
5) pègne
6) beuf

Explorer le vocabulaire

A **Observe** des mots rassemblés autour d'un thème

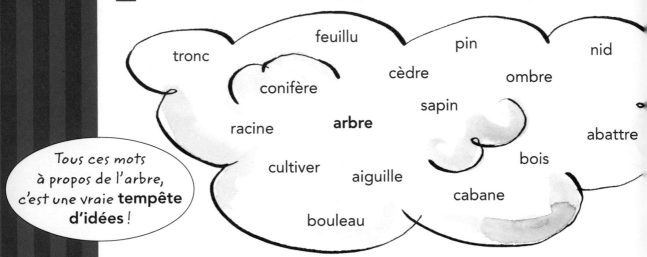

feuillu

tronc

conifère

pin

cèdre

nid

ombre

sapin

arbre

racine

abattre

bois

cultiver

aiguille

cabane

bouleau

*Tous ces mots à propos de l'arbre, c'est une vraie **tempête d'idées** !*

Pense au thème de l'arbre.

• **Quels autres mots te viennent à l'esprit ? Reproduis le nuage de mots ci-dessus et ajoute-lui tes mots.**

Que faire maintenant avec tous ces mots ? Regrouper les mots qui vont ensemble et trouver un titre à chacun des regroupements.

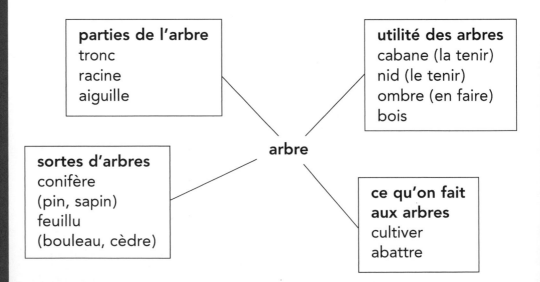

parties de l'arbre
tronc
racine
aiguille

utilité des arbres
cabane (la tenir)
nid (le tenir)
ombre (en faire)
bois

sortes d'arbres
conifère
(pin, sapin)
feuillu
(bouleau, cèdre)

arbre

ce qu'on fait aux arbres
cultiver
abattre

Classe les mots que tu as ajoutés tantôt.

• **Reproduis le classement ci-dessus et ajoute-lui tes mots.**

• **Si nécessaire, invente d'autres regroupements et trouve-leur un titre.**

Le mot juste

On appelle **constellation de mots** un ensemble de mots rassemblés et organisés autour d'un thème.

Une constellation de mots, c'est bien beau, mais à quoi ça sert ?

Lorsque tu commences un projet, prépare une constellation de mots avec d'autres personnes. Au cours de la *tempête d'idées*, tu apprendras des mots nouveaux. En regroupant les mots qui vont ensemble, tu auras des idées, tu te poseras des questions. Tout cela t'aidera à choisir ce que tu veux développer dans ton projet.

Dis dans tes mots comment on fait une constellation de mots et à quoi ça sert.

B **Observe des mots qui en englobent d'autres**

> Le plus bel animal du zoo est le tigre. Cet animal semble féroce. Le pelage jaune à rayures noires de ce félin est magnifique.

Repère les substituts du mot *tigre*.

- Quels mots du texte pourraient être remplacés par *tigre* ?
- Pourquoi a-t-on utilisé ces mots au lieu de *tigre* ?
- Ces mots ont-ils un sens plus précis ou plus général que *tigre* ?

Comme tu le constates, des mots de sens général peuvent englober des mots plus précis. Dans un texte, on utilise ces **mots englobants** pour éviter les répétitions.

Les **mots englobants**, comment les trouver ?

1. Fais une phrase avec *est une sorte de*. Par exemple :

La marguerite est une sorte de... *fleur. Fleur* englobe *marguerite*.

La guitare est une sorte d'*instrument de musique. Instrument de musique* englobe *guitare*.

2. Cherche dans le dictionnaire, car on utilise souvent les mots englobants pour définir un mot. Par exemple, c'est à l'article *tigre* qu'on indique que cet animal appartient à la famille des félins.

Dis dans tes mots ce qu'est un mot englobant et à quoi ça sert.

Montre ta compréhension. Dans ton dictionnaire, trouve un mot englobant pour *banane* et *pieuvre*.

C Observe des mots courants à remplacer par des mots plus précis

> Attention ! Attention !
> Après les **mots englobants**,
> on passe aux **mots précis** !

Demain c'est congé ! Kaleb en profitera pour se reposer un peu : hier, il **a fait** 15 km à vélo. Après **avoir fait** sa chambre, il **fera** un poème. Ensuite, il **fera** une mangeoire pour les oiseaux. Elle **fera** 20 cm sur 20 cm.

Compte le nombre de sens différents du verbe *faire* dans ce texte.

Récris le texte.

- Remplace chaque verbe *faire* par un mot parmi les suivants : *écrire*, *égaler*, *effectuer*, *construire*, *mesurer*, *parcourir*, *provoquer*, *ranger*.
- Peux-tu utiliser n'importe quel mot de la liste pour remplacer n'importe quel *faire* dans le texte ? Pourquoi ?

Le mot juste

On appelle **synonyme** un mot qui a à peu près le même sens qu'un autre mot.

Dans un texte, on utilise des synonymes pour éviter les répétitions.

> Les synonymes,
> où les trouver ?

Souvent on trouve des synonymes dans le dictionnaire. Par exemple, c'est à l'article *faire* qu'on indique ses synonymes. **Attention !** Quand un mot a plusieurs sens, il faut choisir un synonyme qui correspond au sens qui convient dans la phrase.

Dis dans tes mots ce qu'est un synonyme, à quoi ça sert et comment on peut le trouver.

D Observe **comment trouver des contraires (antonymes)**

Cette créature est **méchante**, **dangereuse** et **stupide**.

Remplace *dangereuse* par un mot de sens contraire. Pour t'aider, lis l'article de dictionnaire ci-dessous.

> **dangereux, dangereuse** adjectif.
>
> 1. *Les cascadeurs font un métier dangereux*, un métier où ils risquent d'avoir des accidents, de se blesser.
>
> 2. *Certains serpents sont dangereux*, ils peuvent faire du mal.
>
> Contraire : inoffensif.
>
> *Dictionnaire Larousse des débutants © Larousse/HER 2000*

Cherche, dans le dictionnaire, le contraire de *méchante* et de *stupide*.

Récris la phrase en utilisant les trois contraires que tu as trouvés.

Le mot juste

On appelle **antonyme** un mot de sens contraire.

Montre ta compréhension. Quel est l'antonyme de *coupable* ? Explique comment tu as fait pour le trouver.

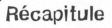

Récapitule

Fais une affiche pour retenir ce que tu as appris dans cette section sur les **constellations de mots**, les **mots englobants**, les **synonymes** et les **antonymes**.

Exercices

➡ p. 279 à 280

1. **Forme une équipe avec deux camarades.**

   a) Ensemble, choisissez un thème parmi les suivants : les moyens de transport, les animaux, les sports, les instruments de musique.

   b) À partir de ce thème, faites une tempête d'idées.

   c) Ensuite, classez vos mots pour obtenir une constellation.

2. **Lis l'article suivant.**

   > **tyrannosaure** nom masculin. Un tyrannosaure est un animal préhistorique qui vivait sur la Terre il y a plusieurs millions d'années, bien avant les premiers hommes.
   >
   > C'est un reptile géant qui avait de grandes dents très pointues. Il appartient à la famille des dinosaures. [...]
   >
   > *Dictionnaire Larousse des débutants* © Larousse / HER 2000

   a) Dans cet article, quels mots englobants trouves-tu pour remplacer *tyrannosaure* ?

   b) En utilisant ces mots englobants, récris le texte ci-dessous de manière à éliminer les répétitions en gras.

   Il y a très longtemps, le tyrannosaure vivait en Amérique du Nord. **Le tyrannosaure** avait de grandes dents très pointues et il était carnivore. Les scientifiques pensent que **le tyrannosaure** mesurait jusqu'à 15 mètres de long.

3. **Complète les suites avec des mots englobants.**

   Exemple :
   Le serpent est une sorte de *reptile* qui est une sorte d'*animal*.

   a) La pomme est une sorte de ▮▮▮ qui est une sorte de ▮▮▮.

   b) Le lion est une sorte de ▮▮▮ qui est une sorte de ▮▮▮.

   c) La chouette est une sorte de ▮▮▮ qui est une sorte de ▮▮▮.

   d) Le voilier est une sorte de ▮▮▮ qui est une sorte de ▮▮▮.

4. Lis l'article ci-dessous.

> **aller** verbe. **1.** *Je vais à l'école*, je me dirige vers l'école. Synonyme : se rendre.
>
> **2.** *Quelle est la route qui va à Marseille ?*, qui mène à Marseille. Synonyme : conduire.
>
> **3.** *Julie veut s'en aller*, quitter l'endroit où elle est. Synonyme : partir.
>
> **4.** *Mes parents vont bien*, ils sont en bonne santé. Synonyme : se porter.
>
> **5.** *Ta robe te va bien*, elle est jolie sur toi, elle a un bon effet.
>
> **6.** *Nous allons lire une histoire*, nous lirons une histoire dans quelques instants. [...]
>
> *Dictionnaire Larousse des débutants* © Larousse / HER 2000

Récris les phrases ci-dessous de manière à remplacer *aller* par un synonyme. Choisis tes synonymes dans l'article de dictionnaire.

a) Ce matin, Félix *va* beaucoup mieux qu'hier.

b) Félix veut *aller* à la piscine.

c) Quel est le chemin qui *va* à la piscine ?

d) À la piscine, Félix voit la belle Amélie.
Il est si gêné qu'il préfère *s'en aller* !

5. **Pour chaque mot ci-dessous, trouve un synonyme et un antonyme.**

a) étrange

b) sévère

c) splendide

d) silencieux

e) triste

À partir de chaque synonyme et antonyme trouvé, compose une phrase.

13 Les familles de mots

Une famille de mots ? Qu'est-ce que c'est ? Comment forme-t-on des mots de même famille ? Comment les mots de même famille peuvent-ils aider à mieux écrire ? Quand tu auras terminé ce chapitre, tu pourras répondre à toutes ces questions !

1. Les caractéristiques d'une famille de mots

■ **Observe** ce qu'est une famille de mots

Famille du mot *courage*	Famille du mot *précis*	Famille du mot *terre*
courage	imprécise	déterrer
courageux	précis	enterrement
découragée	préciser	terre
encouragement	précision	terrien

Trouve les deux caractéristiques d'une famille de mots.

• Qu'est-ce qui se ressemble dans les mots d'une même colonne ?

Dis dans tes mots les deux caractéristiques des mots qui appartiennent à la même famille.

> **Le mot juste**
>
> On appelle **mot de base** la partie semblable dans les mots de même famille.

NOTE : D'un mot à l'autre dans une famille, le mot de base peut changer un peu. Par exemple, dans *terrien*, le *-e* final de *terre* a disparu. Ces deux mots appartiennent quand même à la même famille.

Montre ta compréhension.

Explique pourquoi en 1 et 2 les mots ci-dessous ne sont pas de la même famille.

1	2
chaton	drôle
achat	amusante
crachat	comique

Trouve deux mots de la famille de *grand*, de *possible* et de *patin*.

2. Une manière de former des mots de même famille...

A **Observe** une manière de former des mots de même famille

survol	vol	volant
injuste	juste	justesse
impoli	poli	poliment

Repère le mot de base dans chaque ligne de mots.

Décris le changement que tu observes d'une colonne à l'autre.

- Par rapport au mot de base, quel changement est apporté aux mots de la colonne de gauche ?
- Par rapport au mot de base, quel changement est apporté aux mots de la colonne de droite ?

Explique comment on forme des mots de même famille.

Le mot juste

On appelle **préfixe** l'élément que l'on ajoute *à gauche* (ou au début) du mot de base pour faire un mot de même famille.

On appelle **suffixe** l'élément que l'on ajoute *à droite* (ou à la fin) du mot de base pour faire un mot de même famille.

NOTE : Il est possible d'ajouter un **préfixe** *et* un **suffixe** à un mot de base (ex.: **im**poli**ment**).

B Observe le sens de quelques préfixes

1. **anti**allergique, **anti**bruit, **anti**douleur, **anti**pollution, **anti**vol

2. **bi**corne, **bi**cyclette, **bi**moteur, **bi**place

3. **dé**brancher, **dé**coiffer, **dé**crocher, **dé**faire, **dés**obéir

4. **in**correct, **in**exacte, **il**lisible, **il**logique, **im**polie, **im**patient, **ir**réparable, **ir**responsable

5. **pré**cuit, **pré**découpée, **pré**emballée, **pré**fabriqué

6. **re**dire, **re**lire, **ré**apparaître, **réé**lire, **ra**cheter, **ra**llumer, **ré**crire

7. **tri**angle, **tri**corne, **tri**cycle, **tri**moteur

Remplis un tableau comme celui-ci.

N°	Préfixe	Sens du préfixe
1	*anti*	contre
2		
...		

NOTE: Certaines combinaisons n'existent pas, même si elles seraient faciles à comprendre. Par exemple, on ne peut pas former le contraire de *allumer* avec le préfixe *dé-* : délumer, ça ne se dit pas ! Pour exprimer le contraire de *allumer*, on utilise *éteindre*, un mot d'une autre famille.

Tu peux toujours vérifier dans le dictionnaire si un mot existe.

C Observe **le sens de quelques suffixes**

1. achet**able**, effaç**able**, gonfl**able**, mange**able**, transport**able**

   destruct**ible**, lis**ible**, prévis**ible**, vis**ible**

2. environnement**al**, hivern**ale**, raci**al**, théâtr**ale**

3. boscul**ade**, baign**ade**, noy**ade**, promen**ade**

   copi**age**, lav**age**, patin**age**, tricot**age**

   constru**ction**, déte**ction**, appréci**ation**, color**ation**, compos**ition**, dispar**ition**

4. amus**ante**, encourage**ant**, énerv**ante**, grimaç**ant**, inquiét**ante**

   plong**euse**, coiff**eur**, trich**euse**, voyag**eur**

   sculp**teur**, produc**teur**, organisa**trice**, compos**iteur**

5. horlog**er**, costum**ière**, pâtiss**ier**

6. chanc**eux**, danger**euse**, joy**eux**, merveill**euse**

On a regroupé les mots selon le sens de leur suffixe.

Associe chacun des six groupes à un sens de suffixe :

a) Qui peut être…   *d)* Qui a rapport à…
b) Indique une caractéristique…   *e)* Qui exerce le métier de…
c) Qui fait l'action de…   *f)* Action de…

Écris tes réponses dans un tableau comme celui-ci.

N°	Suffixe	Sens du suffixe
1	*-able, -ible*	*a)* Qui peut être…
2		
…		

NOTE : Ajouter un **suffixe** à un mot change souvent la catégorie de ce mot.

Exemples : *beau* est un adjectif, mais *beauté* est un nom,
culture est un nom, mais *culturel* est un adjectif,
clou est un nom, mais *clouer* est un verbe.

Montre ta compréhension.

Forme deux mots à l'aide de chacun des préfixes *dé-*, *in-*, *re-*.

Forme deux mots avec les suffixes *-able*, *-ant* / *-ante* et *-teur* / *-trice*.

3. Une utilité des mots de même famille

◼ **Observe comment les mots de même famille peuvent aider à mieux écrire**

drap	→ drapeau, draperie
tapis	→ tapisser, tapisserie
lent	→ lente, lenteur, lentement

Lis les mots à haute voix.

- Quand tu prononces les mots de la première colonne, qu'arrive-t-il à leur dernière lettre ? Quelle erreur risques-tu de commettre en écrivant ces mots-là ?
- Comment les mots de la deuxième colonne peuvent-ils t'aider ?

Dis dans tes mots quel moyen tu viens de découvrir pour retenir la dernière lettre d'un mot.

La famille de mots sert aussi à savoir quelles lettres écrire **dans** le mot. Par exemple, tu sauras que *lentement*, ne s'écrit pas «lantement» si tu retiens que *lent* s'écrit avec *-en*. De la même manière, tu sauras que *coiffure* ne s'écrit pas «coifure» si tu retiens que *coiffer* prend deux *f*.

Montre ta compréhension.
Trouve la dernière lettre des mots ci-dessous en utilisant un mot de même famille. Tu peux utiliser ton dictionnaire.

1. parfai▮
2. retar▮
3. den▮
4. cam▮
5. pay▮
6. parfu▮

NOTE : Les mots de même famille aident très souvent à découvrir la dernière lettre d'un mot, mais pas toujours ! Par exemple, *caoutchouc* et *caoutchouteux* appartiennent à la même famille, mais *caoutchouc* se termine par *-c* et non par *-t*.

Récapitule

Fais une grande affiche pour retenir ce que tu as appris dans ce chapitre sur les **mots d'une même famille**, la manière de les former et leur utilité. Donne des exemples.

Exercices

p. 281 à 282

1. Dans chacune des listes suivantes, il y a un mot qui n'est pas de la même famille que les autres. Trouve cet intrus !

a) boule, boulette, boulevard, débouler.

b) allonger, longue, longueur, plonger.

c) fleur, ronfleur, fleuriste, refleurir.

d) orange, ranger, rangement, arranger.

e) dent, accident, dentifrice, dentiste.

2 Forme un adjectif de la même famille que chaque nom ci-dessous. Utilise les suffixes suivants :

-able, -al/-ale (-ial/-iale), -ant/-ante, -eux/-euse, -ible.

a) glace	e) génie	i) souhait
b) fin	f) danger	j) division
c) stress	g) sourire	k) région
d) calcul	h) nuage	l) roche

3 Forme un nom de la même famille que chaque verbe ci-dessous. Utilise les suffixes suivants :

-ade, -age, -ment, -teur/-trice (-ateur/-atrice), -ation.

a) décourager	e) effacer	i) bavarder
b) décorer	f) colorier	j) remorquer
c) créer	g) sculpter	k) organiser
d) glisser	h) présenter	l) trembler

4 Recopie les mots ci-dessous. Décompose chacun d'eux en *préfixe + mot de base* ou en *mot de base + suffixe*.

Exemple : baignade = *baign + ade*

a) voyageuse	e) soulagement	i) dégel
b) policier	f) déshabiller	j) préchauffer
c) journaliste	g) matinale	k) jardinage
d) revoir	h) inexploré	l) nuageux

5 **Forme des contraires à partir des adjectifs en gras.**

Exemple : Le groupe n'est pas **uni**. Il est *désuni*.

a) Le tuyau n'est plus **bouché**. Il est ▆▆▆.

b) Cela n'est pas **possible**. C'est ▆▆▆.

c) Il n'est pas **capable** de grimper. Il est ▆▆▆ de grimper.

d) Cette actrice n'est pas **connue**. Elle est ▆▆▆.

e) Sa blessure n'est plus **infectée**. Elle est ▆▆▆.

f) Ton conseil n'est pas **utile**. Il est ▆▆▆.

6 **Trouve l'intrus dans chaque série de mots. Entre parenthèses, explique ton choix.**

Exemple : tricycle, trimoteur, tricher.
           Intrus : tricher (*tri-* ne signifie pas *3*)

a) antivol, antipollution, antique, antibruit.

b) bicyclette, bijou, bimoteur, biplace.

c) décembre, défaire, débloquer, défriser.

d) illisible, illégal, illustré, illimitée.

e) réapparaître, réarranger, réchauffer, régler.

7 **Dans le texte ci-dessous, quelques mots sont mal écrits. En t'aidant des mots de même famille, repère et corrige ces mots.**

Élise fait du vélo de montagne le plus souvent possible. C'est son spor préféré. Même si ses parents trouvent cela dangeureux, ils l'encouragent. Sur son vélo, la timide Élise se sent différente, plus forte. Seul le ven peut la ralantir. Il y a quelques années, un inconu a offert à Élise de devenir son entraîneur. Elle s'en souvient encore. Il portait un lon manteau gri et un chapeau ron. Élise a accepté. Bientôt, elle représentera son pay aux Jeux olympiques.

14 Des régularités orthographiques

1. L'emploi de la lettre m dans les sons [an], [on] et [in]

■ **Observe** comment s'écrivent les sons [an], [on] et [in]

- cent, enlever, entier, genre, présent
- ange, chance, danse, orange, viande
- bonjour, congé, oncle, répondre, ronde
- cinq, dinde, épingle, infirmière, invisible

- décembre, sembler, trembler chambre, jambe, tambour
- nombre, ombre, tomber
- imbattable, timbre

_____

- empêcher, remplir, tempête ampoule, champion, trampoline
- compagne, comparer, pompier
- grimper, impossible, imprimer

_____

- emmêler, emmener

Compare la façon d'écrire les sons [an], [on] et [in] dans les mots de chaque colonne.

- Qu'est-ce qui se ressemble dans les mots d'une même colonne ?
- Qu'est-ce qui différencie les mots d'une colonne à l'autre ?

Dis dans tes mots la règle pour savoir quand écrire les sons [an], [on] et [in] avec un _m_.

Bonbon...
Quel drôle de mot !
Il n'a pas de **m** devant le **b**. C'est parce qu'on a collé deux fois le mot **bon** !

2. L'emploi de la lettre g

A ## Observe **comment se prononce la lettre** *g*

agacer, galerie, regard, gazon	étrange, genre, manger, nage
dégonfler, frigo, gomme	agir, fragile, girafe, imaginer
aigu, figure, légume, virgule	Égypte, gymnase

Lis ces mots à voix haute.

• Comment se prononce le *g* dans les mots de chaque colonne ?

On appelle «*g* dur» le *g* de *galerie* et «*g* doux» le *g* de *girafe*.

Compare les mots.

• Qu'est-ce qui différencie les mots d'une colonne à l'autre ?

Dis dans tes mots la règle de prononciation du *g*.

B ## Observe **comment adoucir un** *g*

ballon dirigeable, elles mangeaient, orangeade
bourgeon, mangeoire, nous mangeons, pigeon, plongeon

Lis ces mots à voix haute.

• Comment se prononce le *g* de ces mots ?

• Comment prononcerait-on ces mots si on enlevait le *e* après le *g* ?

Explique pourquoi, dans ces mots, la lettre *g* est suivie d'un *e* qui ne se prononce pas.

C ## Observe **comment durcir un** *g*

blague, fatigue, guerre, langue
déguisement, guirlande, guitare, téléguider
Guy, Guylaine

Lis ces mots à voix haute.

• Comment se prononce le *g* de ces mots ?

• Comment prononcerait-on ces mots si on enlevait le *u* après le *g* ?

Explique pourquoi, dans ces mots, la lettre *g* est suivie d'un *u* qui ne se prononce pas.

Dis dans tes mots tout ce que tu as observé à propos du *g*.

3. L'emploi de la lettre c

A **Observe** **comment se prononce la lettre *c***

amical, canard, incapable	enfance, incendie, océan
conte, corde, décorer, école	ciel, cirque, ici, merci
aucun, biscuit, cube, culbute	cygne, cylindre

Lis ces mots à voix haute.

• **Comment se prononce le *c* dans les mots de chaque colonne ?**

Compare les mots.

• **Qu'est-ce qui différencie les mots d'une colonne à l'autre ?**

Dis dans tes mots la règle de prononciation du *c*.

B **Observe** **la prononciation du *ç***

berçante, ça, commerçant, française
balançoire, façon, garçon, leçon
déçu, reçue

Lis ces mots à voix haute.

• **Comment les prononcerait-on si on les écrivait avec un *c* (sans cédille) ?**
• **Pourquoi les écrit-on avec un *ç* (la lettre *c* avec une cédille) ?**

Explique pourquoi on n'écrit jamais ~~çi, çe, çy~~ dans un mot.

Dis dans tes mots tout ce que tu as observé sur le *c* et le *ç*.

4. L'emploi de la lettre s

A Observe **comment se prononce la lettre s**

biscuit, danse, instrument, pinson, poste, question, réponse, respirer, savoir, sel, sucre

chaise, choisir, diviser, loisir, musée, oiseau, rose, visage

Lis ces mots à voix haute.

- Comment se prononce le *s* dans les mots de chaque colonne ?

Compare les mots.

- Qu'est-ce qui différencie les mots d'une colonne à l'autre ?

Trouve la règle de prononciation de la lettre *s* dans un mot.

B Observe **une autre façon d'écrire le son [s]**

classe, coussin, dessin, grosseur, poisson, pousser

Lis ces mots à voix haute.

- Comment prononcerait-on ces mots si on les écrivait avec un seul *s* ?

Explique pourquoi on écrit ces mots avec deux *s* (-*ss*-) au lieu d'un seul (-*s*-).

Dis dans tes mots tout ce que tu viens d'observer à propos du *s*.

Récapitule

Fais une grande affiche pour retenir ce que tu as appris dans cette section à propos des **sons [an]**, **[on]**, **[in]** et des **lettres g**, **c** et **s**. Donne des exemples pour illustrer chaque règle.

⟹ p. 283 à 284

Exercices

1. Parmi les mots ci-dessous, repère ceux qui sont mal écrits. Sur une feuille, récris-les correctement.

bandit	enfant	félim	inpossible
bamque	enbarquer	franboise	monter
bonsoir	enlever	inventer	température
conptine	enquête	inbattable	vanpire

2. Récris les phrases suivantes en corrigeant les mots mal écrits.

a) Lucille, ma coussine, est malade : elle a avalé du poisson à rats.

b) Françoise a casé son crayon parce qu'elle l'a laisé tomber.

c) Plusieurs petits pousins courent vers le ruiseau.

3. Choisis une page au hasard dans un livre. Trouve des mots qui contiennent la lettre *g*. Classe-les dans un tableau.

Mots qui ont un «*g* dur» comme dans *galerie* et qui s'écrivent avec...			Mots qui ont un «*g* doux» comme dans *girafe* et qui s'écrivent avec...		
les lettres *ga*	les lettres *go*	les lettres *gu*	les lettres *ge*	les lettres *gi*	les lettres *gy*

4. Même exercice que le précédent avec la lettre *c*.

Mots qui ont un «*c* dur» comme dans *carie* et qui s'écrivent avec...			Mots qui ont un «*c* doux» comme dans *ciel* et qui s'écrivent avec...		
les lettres *ca*	les lettres *co*	les lettres *cu*	les lettres *ce*	les lettres *ci*	les lettres *cy*

5 Même exercice que le précédent avec le son [s].

Le son [s] s'écrit avec...			
la lettre *s*	les lettres *ss*	la lettre *c*	la lettre *ç*

6 À toi de corriger les mots mal écrits sur une copie d'élève.

Cette dernière partie est un aide-mémoire de tout ce que tu as découvert sur la grammaire au fil des activités des quatre premières parties.

Consulte-la souvent quand tu écris. Peu à peu, toutes ces connaissances, tu les auras solidement construites dans ta tête. Écrire et réviser tes textes deviendra pour toi de plus en plus facile.

Comprendre et rédiger les textes

Chapitre **1· Les histoires**

Deux manières de raconter une histoire

On peut raconter une histoire vécue ou en imaginer une du début à la fin mais, pour l'écrire, il faut choisir une manière de raconter.

L'auteur ou l'auteure (celui ou celle qui écrit le texte)...

1 – est un personnage de l'histoire.   ou   2 – n'est pas un personnage de l'histoire.

Celui ou celle qui écrit raconte ce qui lui est arrivé.

L'histoire est racontée à la 1re personne:
Je...

Celui ou celle qui écrit peut aussi faire semblant que cela lui est arrivé!

Si Timadou lui-même racontait son histoire, il écrirait:
Je suis Timadou...
Je refuse de manger de la souris...

On parle des personnages comme si on les voyait dans un film.

L'histoire est racontée à la 3e personne.

L'histoire *Timadou et le dragon* en est un exemple:

«Au pays des chats, il est **un petit chat** qui fait triste figure à l'heure des repas. C'est Timadou, fils unique de Gromatou, le roi des chats. **Timadou** refuse de manger de la souris.»

L'histoire suit l'ordre chronologique

Pour les comprendre plus facilement, on raconte les évènements dans l'ordre où ils se sont déroulés: c'est l'ordre chronologique.

en 1er en 2e en 3e en 4e en 5^e

L'organisation des idées

La plupart des histoires présentent des idées organisées de cette façon :

Par exemple, dans *Sauvetage...*

⟹ **Texte 2, p. 8 et 9**

Le début de l'histoire

On présente les personnages, → L'auteure parle d'elle et de son frère de 4 ans, Ulysse.

on précise ce qui se passe au début. → Ils sont au bord de la rivière, leur père les surveille...

Le problème

Un problème survient pour un des personnages, une difficulté à surmonter. → Ulysse se retrouve au milieu de la rivière... Il risque de se noyer...

Si personne n'avait de problème dans une histoire, il n'y aurait pas d'histoire !

Un 1ᵉʳ épisode

Un personnage tente de faire quelque chose pour régler le problème. → La sœur d'Ulysse saute à l'eau pour le rattraper.

Cela peut réussir... ou non. → Elle n'y arrive pas.

Quand la 1ʳᵉ tentative réussit, le problème est réglé, il n'y a pas de 2ᵉ épisode.

Un 2ᵉ épisode

Le personnage essaie autre chose... ou parfois, c'est un nouveau personnage qui intervient et qui tente à son tour de régler le problème. → Les chiens du voisin apparaissent dans la rivière.

Cela réussit... ou non. → Ils ramènent les deux enfants sur la rive.

La fin

On dit comment se termine l'histoire. → Tout le monde a eu peur ! Le père serre ses enfants dans ses bras. Ulysse en profite pour demander un chien !

La fin peut être heureuse... ou malheureuse (quand toutes les tentatives échouent).

Les expressions qui désignent un personnage

Pour désigner un personnage, on le nomme par son nom,

→

puis souvent par un pronom.

→

On utilise parfois toute une expression.

→

➡ **Texte 1, p. 4 et 5**

Timadou court dans sa chambre.
N

Il cherche son épée…
Pron.

Au pays des chats, tout le monde ricane. **Le prince des chats** qui refuse de manger de la souris !

Faire parler les personnages

Voici comment indiquer clairement qu'un ou des personnages parlent :

On met un tiret sur une nouvelle ligne au début des paroles du personnage.

→

Quand un autre personnage parle, on change de ligne et on met un nouveau tiret.

→

… Timadou rencontre sur son chemin une toute petite souris… Elle a mal à la patte…

— Tu vas me croquer, **lui dit-elle en pleurant.**

— Mais non, **répond Timadou.** Je suis le prince des chats, celui qui refuse de dévorer les souris.

←

←

Pour être encore plus clair, on précise qui parle en insérant des phrases comme *lui dit-elle…* et *répond Timadou…* et on met des virgules devant.

Les mots qui marquent le temps

1. Pour indiquer **le moment précis** où cela se passe	2. Pour indiquer qu'un évènement a lieu **subitement**	3. Pour indiquer qu'un évènement a lieu **après** un autre
hier **le jour commençait juste à se lever** **quand la toupie s'est arrêtée** **ce matin** le lendemain …	**aussitôt** **tout à coup** soudain …	**alors** **puis** ensuite …

Les exemples en couleur se trouvent dans l'histoire **Ma mère est une sorcière.**

➡ Texte 3, p. 11 à 13

Chapitre 2 • Les textes informatifs

Le titre

De quoi va-t-on parler dans ce texte ?

Le titre sert à l'annoncer.

Un titre encore plus précis pour ce texte serait :
Les armes du chat pour chasser

Les intertitres

Rien de mieux que des intertitres pour donner rapidement au lecteur ou à la lectrice une idée des informations qui se trouvent dans chaque partie du texte.

Les idées ne sont pas toutes mêlées, elles sont regroupées par thèmes ou par aspects, avec un intertitre pour chacun. Dans le paragraphe 4, par exemple, on parle seulement des moustaches du chat.

Ces intertitres sont précis, ils fournissent bien l'idée générale de la partie du texte.

Le rôle des illustrations

Dans un texte informatif, les illustrations sont souvent précieuses pour permettre de bien comprendre.

Mais ici, comme tu connais sûrement bien les chats, ces images n'aident pas à comprendre, elles servent à rendre la page plus agréable à regarder.

L'organisation des idées

Organisation en constellation ⟶ Textes 1 et 2, p. 20 à 22

L'introduction

C'est par cette partie qu'on «entre» dans le texte. L'introduction donne l'envie de lire la suite et fournit un aperçu du contenu du texte.

⟶ **Le chat**

Ton mignon petit chat est en fait un redoutable chasseur. Découvre toutes ses armes pour la chasse.

Le développement

Tout le reste du texte constitue le développement. C'est le corps du texte, là où se trouvent toutes les idées.

Le développement des textes *Le chat* ou *À chacun sa méthode* suit une organisation en constellation qu'on peut illustrer par un **schéma en marguerite**.
Voici le schéma du texte *Le chat*.

des yeux perçants

une ouïe ultra fine

des dents carnassières

le chat

des moustaches radars

des griffes acérées

des sauts de champion

Dans ce genre de texte, on peut **lire** seulement **quelques parties** ou les lire toutes **dans l'ordre qu'on veut**. On comprendra toujours le texte.

Un **schéma en marguerite** peut servir **pour se préparer à écrire** ce genre de texte. On écrit le titre du texte au centre puis, dans de grands pétales, les intertitres ou les thèmes qui organisent le texte. On y écrira ensuite les informations pertinentes au fur et à mesure qu'on les trouvera.

Organisation en séquence ➡ Texte 3, p. 26 et 27

Dans cet autre genre de texte informatif, on trouve aussi :

– un titre et des intertitres,

– une introduction et un développement.

Dans le développement d'un texte **en séquence**, **l'ordre des idées** est très **important**, car il faut suivre l'ordre du déroulement dans le temps. On le représente par le schéma d'un train, une étape par wagon.

Voici le schéma du développement du texte *De l'œuf au poussin*.

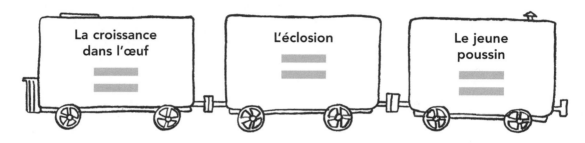

Des mots qui marquent le temps

Dans un texte en séquence, plusieurs expressions marquent le temps très précisément, par exemple :

Dès que le dernier œuf de la couvée est pondu…
Dès le cinquième jour… Autour du treizième jour…
Le vingt et unième jour…

Des mots substituts

Pour éviter de répéter trop souvent un mot, on utilise un autre mot au sens plus général.

Ces mots deviennent **synonymes dans le texte** mais **pas dans le dictionnaire**.

les petits

l'oisillon

le poussin

Chapitre 3 • Les poèmes, les comptines

De quoi parle-t-on ? On peut parler de tout, par exemple, raconter une histoire, décrire quelque chose ou simplement jouer avec la sonorité des mots.

Ici, on invente une mini-histoire qui explique les yeux brillants du chat.

Comment le rythme est-il créé ? On peut répéter une structure.

Ici, la structure du début se répète une seule fois.

On peut utiliser des rimes qu'on organise de diverses manières.

Ici, on alterne

les sons [eu] - [a] - [eu] -[a],

puis [oir] - [eil] - [oir] - [eil].

Le chat et le soleil

Le chat ouvrit les **yeux**,

Le soleil y entr**a**.

Le chat ferma les **yeux**,

Le soleil y rest**a**.

Voilà pourquoi le s**oir**,

Quand le chat se rév**eille**,

J'aperçois dans le n**oir**

Deux morceaux de sol**eil**.

Maurice Carême, *L'arlequin*,
© Fondation Maurice Carême, D.R.

Comment terminer ? On peut changer le rythme pour conclure de façon amusante, surprenante.

On peut utiliser des expressions imagées.

Ici, on décrit les yeux du chat de façon originale.

On peut utiliser la ponctuation... ou non ! Mais très souvent, chaque ligne commence par une majuscule.

Chapitre 4 • Les lettres

La lettre pour inviter, envoyer des souhaits, demander des renseignements

Qui écrit ?

On écrit en notre nom personnel ou pour représenter un groupe.

À qui ?

À une personne ou à des personnes qu'on connaît bien, qu'on connaît un peu ou pas du tout.

Pourquoi ?

Pour toutes sortes de raisons : inviter, envoyer des souhaits, donner des nouvelles, demander des renseignements…

Les quatre parties d'une lettre

La date. Dans un courriel, la date s'inscrit automatiquement.

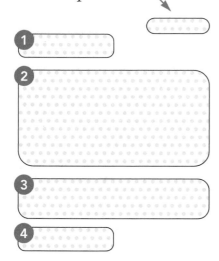

1 On entre en contact en précisant à qui on écrit par une formule qui convient à cette personne :
Chère…, Salut…, Bonjour Monsieur.

2 On écrit ce qu'on veut dire selon l'occasion.

3 On termine la lettre par une formule ou un commentaire qui s'adresse directement à celui ou celle qui va recevoir la lettre.

4 On signe la lettre en écrivant notre nom ou celui de notre groupe selon le cas.

Établir le contact, choisir le style qui convient

On s'exprime en choisissant la manière appropriée selon qu'on connaît bien, un peu ou pas du tout la ou les personnes à qui on écrit.

Puisqu'on est en **contact** avec une ou des personnes, la lettre contient des pronoms de la **2e personne** : *tu, te, toi, vous…* et des déterminants comme *ta, ton, tes, votre, vos…*

On utilise le ***vous* de politesse** quand on s'adresse à une personne qu'on connaît peu ou pas du tout.

Dans des lettres où la façon de parler est soignée, il est préférable d'utiliser ***nous*** au lieu de ***on***.

Construire et ponctuer les phrases

1. La phrase: une double organisation

Les **mots** s'organisent en **groupes** et les **groupes** en **phrases**.

La **phrase** s'organise comme les **racines d'un arbre**.

Les racines d'un arbre:		Une phrase:
Le tronc	La phrase	Les spectateurs rient beaucoup.
Les racines principales	Les groupes de mots	Les spectateurs / rient beaucoup .
Les petites racines	Les mots	Les spectateurs rient beaucoup.

2. L'organisation générale d'un groupe

- Un **noyau**: c'est le mot principal qui donne son nom au groupe. Si c'est un nom, on parlera d'un **groupe du nom** (**GN**). Si c'est un verbe, on parlera d'un **groupe du verbe** (**GV**).

- Des **expansions**: ce sont des mots qui *complètent* le noyau.

Exemple:

J'ai aperçu (le (*chat*) noir de la maquilleuse) . (GN

noyau (un nom)

expansions

3. Le pronom: pour remplacer des groupes de mots

Un pronom remplace souvent un GN mais aussi toutes sortes de groupes de mots. Si on ne connaît pas le groupe qu'il remplace, on ne peut pas comprendre son sens.

Xavier adore aller au cirque.

Il adore ça.

Chapitre 5 • La phrase déclarative

La **phrase déclarative** permet de **déclarer**, de constater quelque chose (un fait, un sentiment...).

Elle sert aussi de **modèle de base** pour construire les autres sortes de phrases.

■ **La ponctuation de la phrase déclarative**

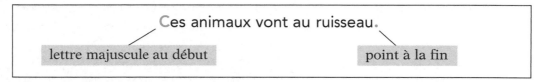

Ces animaux vont au ruisseau**.**

lettre majuscule au début   point à la fin

1. Le minimum dans la phrase déclarative

A **Deux groupes de mots obligatoires**

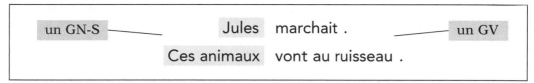

un GN-S ——— **Jules** marchait . ——— un GV

Ces animaux vont au ruisseau .

Sans ces deux groupes, la phrase déclarative est incomplète.
Si on efface un des deux groupes, ce qui reste n'est pas une phrase.

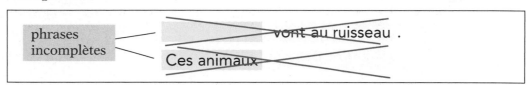

phrases incomplètes ~~vont au ruisseau .~~

~~Ces animaux~~

NOTE: Le groupe surligné en bleu, le groupe du nom sujet, peut être remplacé par un pronom.

Exemples: **Il** marchait.

Ils vont au ruisseau.

B **Le minimum dans le groupe du nom**

Deux constructions

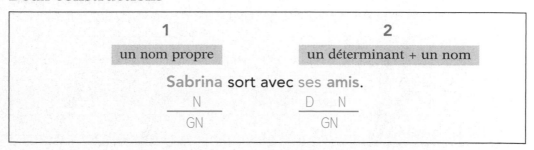

1	2
un nom propre	un déterminant + un nom

Sabrina sort avec **ses amis.**

N   D   N
GN   GN

C **Le minimum dans le groupe du verbe**

un verbe + les expansions qui le complètent obligatoirement.

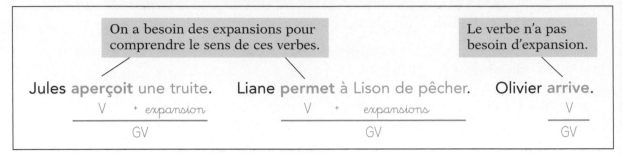

On a besoin des expansions pour comprendre le sens de ces verbes.

Le verbe n'a pas besoin d'expansion.

Jules **aperçoit** une truite.
V + *expansion*
GV

Liane **permet** à Lison de pêcher.
V + *expansions*
GV

Olivier **arrive**.
V
GV

2. Les phrases déclaratives qu'on écrit

Les phrases déclaratives qu'on écrit ont le plus souvent été développées, enrichies. Voici divers moyens à utiliser.

A **Ajouter une expansion à un groupe du nom**

Voici comment enrichir, développer un GN qui contient le minimum.

une **couleuvre**
une *longue* **couleuvre** *verte*
D A N A
GN

← **On peut ajouter un ou des adjectifs autour du nom**

mon **ami**
mon **ami** *Hector*
D N N
GN

← **On peut ajouter un nom propre**

un **jardin**
un **jardin** *de fleurs*
D N de + GN
GN

← **On peut ajouter un autre GN relié au nom noyau par un mot comme *à*, *de*...**

On peut combiner ces moyens:

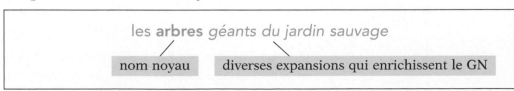

les **arbres** *géants du jardin sauvage*

nom noyau   diverses expansions qui enrichissent le GN

Plus tard, tu découvriras encore d'autres moyens d'enrichir le GN.

B **Ajouter une expansion à un groupe du verbe**

Pour enrichir, développer un GV qui contient le minimum, on peut :

• **ajouter un complément qui n'est pas obligatoire**

> Mandoline **dort**.
>   **dort** *profondément*.

← **On précise ici la manière de faire**

> Un raton laveur **approche** de sa tente.
>   **approche** *silencieusement* de sa tente.

> Il l'**inspecte**.
>   l'**inspecte** *avec curiosité*.

• **ajouter un autre verbe**

> Mandoline **ronfle**.
>   *se met à* **ronfler**.

← **On précise ici si l'action commence, continue, se termine...**

> L'animal **fouine**.
>   *continue de* **fouiner**.

C **Ajouter un groupe de mots à la phrase**

> En bleu et en jaune, on reconnaît les deux groupes obligatoires de la phrase déclarative bien construite.

> Les groupes en rose enrichissent la phrase en indiquant, par exemple, *où, quand, comment, pourquoi* cela se passe.

> Mandoline ronfle dans sa tente .

> Une mouffette approche des tentes pour trouver de la nourriture .

> On peut enrichir la phrase déclarative de plusieurs groupes différents.

> Cette nuit , les vacanciers ont mal dormi à cause des odeurs ...

> **Attention !** normalement, un groupe est ajouté à la fin de la phrase. Si on le déplace au début, on met une **virgule**.

Chapitre 6 • Les autres phrases

1. La phrase interrogative

A **Son signe de ponctuation**

Le point d'interrogation (**?**) marque la fin d'une phrase interrogative.

Exemple: Aimes-tu observer le ciel **?**

B **Deux sortes de questions**

1 – Questions «en oui-non»	ou	2 – Questions «ouvertes»
(On répond par *oui* ou *non*.)		(On répond par un groupe de mots ou plusieurs phrases.)
Est-ce que tu as hâte au décollage?		À quel âge voulais-tu devenir astronaute?
Sortiras-tu dans l'espace?		Pourquoi fais-tu ce voyage?

Généralement, les questions ouvertes font davantage parler les gens à qui on les pose.

C **Comment construire une question «en oui-non»**

- **1ʳᵉ façon**: On ajoute *Est-ce que* devant la phrase déclarative.

De la phrase déclarative → à la phrase interrogative

Axelle commande la navette.   Est-ce qu' Axelle commande la navette **?**

Est-ce que + phrase déclarative + **?**

- **2ᵉ façon**: On déplace le pronom sujet après le verbe et on ajoute un trait d'union.

De la phrase déclarative → à la phrase interrogative

Ils vérifient les appareils.   Vérifient-ils les appareils **?**

V + - Pron.-S + **?**

- **3e façon** : Le sujet est un GN. On ajoute le pronom sujet correspondant après le verbe.

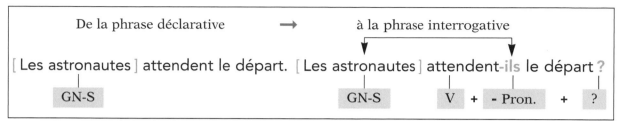

De la phrase déclarative → à la phrase interrogative

[Les astronautes] attendent le départ. [Les astronautes] attendent-ils le départ ?

GN-S   GN-S   V + - Pron. + ?

D Comment construire des questions ouvertes

On remplace l'information inconnue par un **mot interrogatif** au début de la phrase. Comme dans les questions «en oui-non», un pronom sujet est déplacé ou ajouté après le verbe.

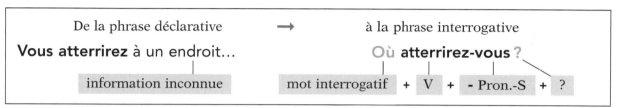

De la phrase déclarative → à la phrase interrogative

Vous atterrirez à un endroit…   **Où atterrirez-vous** ?

information inconnue   mot interrogatif + V + - Pron.-S + ?

- Si l'information inconnue est le sujet de la phrase, on la remplace tout simplement par le mot interrogatif *qui* :

  Quelqu'un qu'on ne connaît pas **donne le signal**.
  Qui **donne le signal** ?

E Mots interrogatifs ou expressions interrogatives

Qui	Que	Quand	Pourquoi	Où
À qui	De qui	Avec qui	Comment	Combien
À quoi	De quoi	Avec quoi		

Le mot interrogatif peut aussi être le **déterminant** *quel* (ou *quelle, quels, quelles*).

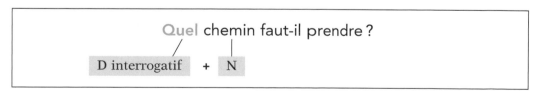

Quel chemin faut-il prendre ?

D interrogatif + N

2. La phrase exclamative

A Son signe de ponctuation

Le point d'exclamation (!) marque la fin d'une phrase exclamative.

Exemple: Que c'est bruyant!

B Comment construire une phrase exclamative

- **1re façon**: On ajoute un mot exclamatif (***comme*** ou ***que***) devant la phrase déclarative.

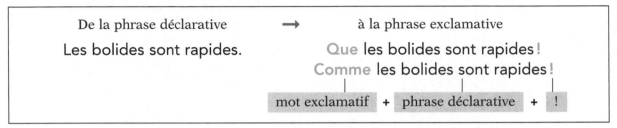

- **2e façon**: On remplace le déterminant du groupe du nom sur lequel on veut s'exclamer par ***quel*** (ou ***quelle, quels, quelles***) et on déplace tout le groupe du nom au début de la phrase.

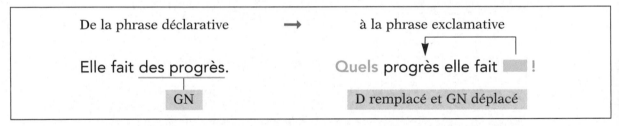

Remarque: Le pronom sujet reste devant le verbe, il n'est pas déplacé comme dans la phrase interrogative.

D'autres usages du point d'exclamation

Le point d'exclamation sert souvent pour marquer l'émotion dans des expressions, des groupes de mots ou des phrases qui ne sont pas construites comme des phrases exclamatives.

Exemples: Non!   Attention!   Chut!

Ferme la porte!   Viens ici tout de suite!

Enfin! On est arrivé!   Ah! Quelle chaleur!

3. La phrase impérative

A. Sa ponctuation

Le point d'exclamation (!) ou le point (.) marquent la fin d'une phrase impérative. On a le choix.

Exemples: Range ta chambre!
Montons tout de suite.

B. Comment construire une phrase impérative

De la phrase déclarative → à la phrase impérative

Tu ranges ta chambre. → Range ta chambre!
Nous montons tout de suite. → Montons tout de suite.

Le Pron.-S est effacé.
(Le verbe est conjugué à l'impératif → page 274.)

4. Les phrases à la forme négative

A   Comment construire une phrase négative

On ajoute **ne** + **un autre mot de négation** autour du verbe conjugué de manière à l'encadrer.

De la forme positive	→	à la forme négative
Tu construis un igloo.		Tu **ne** construis **pas** un igloo.
Mon frère coupe tes blocs de neige.		Mon frère **ne** coupe **pas** tes blocs de neige.

> Les mots de négation **ne** et **pas** encadrent le verbe conjugué.

Divers types de phrases peuvent être mis à la forme négative :

- des phrases déclaratives :
  Tu construis un igloo.   →   Tu **ne** construis **pas** un igloo.

- des phrases impératives :
  Restez là !   →   **Ne** restez **pas** là !

- des phrases interrogatives :
  Pourquoi veux-tu sortir ?   →   Pourquoi **ne** veux-tu **pas** sortir ?

B   D'autres mots de négation

ne … plus	ne … jamais	ne … aucun + *nom masculin*
ne … rien	ne … personne	ne … aucune + *nom féminin*

C   La position exacte du mot *ne*

Normalement, **ne** se trouve devant le verbe conjugué.

Un **pronom** qui n'est pas sujet peut se trouver **entre *ne* et le verbe**.

Je **ne** veux pas partir.   On **ne** lui donne jamais…   Il **ne** la trouve pas…
   Vc   Vc   Vc

Ne et **pas** sont ensemble devant un verbe à l'infinitif.

Ne pas sortir du sentier.
      Vinf

Chapitre **7 • Des structures à surveiller**

1. La phrase écrite qui contient plusieurs verbes conjugués

A Comment relier deux phrases à un verbe

Plusieurs **marqueurs de relation** permettent d'établir un **lien** entre **deux phrases à un verbe**. Pour la **ponctuation**, cela fait alors **une seule grande phrase**.

Exemple:

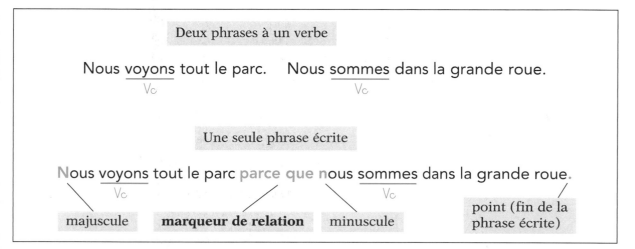

B Marqueurs de relation

et	qui	parce que	si
ou	que	pour que	comme
car	quand	pendant que	puis
mais	lorsque	depuis que	…

Les marqueurs de relation *quand, lorsque, parce que, pour que, pendant que, depuis que, si…* peuvent aussi se trouver au début de la grande phrase écrite. Attention alors à la virgule:

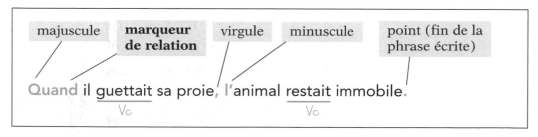

2. L'énumération dans une phrase

Lorsqu'on énumère, on fait une liste. On peut faire la liste de toutes sortes de choses : une liste d'épicerie, une liste de matériel scolaire à se procurer, une liste d'ingrédients pour faire un gâteau…

A   Comment construire une énumération

D'un point de vue grammatical, on peut énumérer des adjectifs, des groupes du nom, des groupes du verbe, des groupes du nom avec un mot invariable devant (*à*, *de*, par exemple).

Exemples :

- énumération de groupes du nom :

> virgule   *et* entre les deux derniers éléments énumérés
>
> Cette année, Geneviève a découvert **l'Italie, le Pérou, le Tibet** *et* **le Népal.**

- énumération d'adjectifs :

> virgule   *et* entre les deux derniers éléments énumérés
>
> En voyage, elle porte des chaussures **robustes, légères** *et* **confortables.**

- énumération de groupes du verbe à l'infinitif :

> virgule   *ou* entre les deux derniers éléments énumérés
>
> **Gravir des montagnes, coucher à la belle étoile** *ou* **rencontrer des gens** sont ses activités préférées.

B   **Des erreurs à éviter**

Lorsqu'on énumère, il ne faut pas prendre trop de raccourcis !

La phrase est mal construite.		Il faut compléter les groupes de mots pour que la phrase soit bien construite.
Karla apprend ~~l'anglais, français, polonais.~~	→	Karla apprend **l'anglais,** le **français** et le **polonais.**
Jean rêve ~~d'aller au Mexique, Espagne, France et Canada.~~	→	Jean rêve d'aller **au Mexique,** en Espagne, en France et au Canada.

Pour vérifier la structure et la ponctuation des phrases que tu écris.

1. Est-ce une phrase déclarative, interrogative, exclamative ou impérative ?
   • Vérifie si sa construction suit un des modèles étudiés.
   • Vérifie si le signe de ponctuation est adéquat.
   • Vérifie la construction des groupes dans la phrase. Au besoin, enrichis-les.

2. S'agit-il d'une phrase à la forme négative ?
   • Vérifie la présence et la position des deux termes de la négation.

   Attention ! À l'oral, très souvent, on ne dit pas le **ne**...

   Ne l'oublie pas à l'écrit !

3. Est-ce une phrase qui contient plusieurs verbes ?
   • Vérifie la présence d'un marqueur de relation.
   • Vérifie la ponctuation.

4. Ta phrase contient-elle une énumération ? Vérifie sa structure et sa ponctuation.

Réussir les accords

Chapitre 8 • L'accord dans le groupe du nom

1. Repérer le groupe du nom

Pour repérer le **groupe du nom** (ou **GN**), il faut trouver:
– le nom,
– son déterminant,
– le ou les adjectifs qui forment le GN.

Tous ces mots s'accordent ensemble.

1.1 Le nom

A **Les noms propres et les noms communs**

Le **nom propre**, c'est le nom de quelqu'un, le nom qu'on lui donne à la naissance (ou le nom d'un personnage imaginaire). C'est aussi le nom qu'on donne à un lieu particulier comme une ville, un pays.

Quand on lit, la lettre majuscule au début des noms propres permet de les reconnaître facilement.

À **Dolbeau**, **Mathis** et **Charlotte** voient un coffre mystérieux dans la cour de **Rodolphe Bernier**.

Quand on écrit, il ne faut pas oublier cette lettre majuscule.

Le **nom commun** est une classe de mots qui se dit bien avec un déterminant devant lui, à sa gauche (un **déterminant** comme *un, une, du, des, le, la* ou *les*). Le *déterminant* est obligatoire (sauf dans quelques rares cas).

La preuve, c'est qu'en effaçant le déterminant, la phrase devient mal construite.

La phrase se dit bien.   ou   **La phrase ne se dit pas bien.**

La sorcière voit une enveloppe.   ~~sorcière~~ voit ~~enveloppe~~
  D   N   D   N
    GN   GN

B   Un test pour détecter les noms communs

Pour s'assurer qu'un mot est bien un nom quand on ne reconnaît pas le déterminant devant lui, on lui fait passer un test! **On vérifie si ce mot se dit bien après un déterminant bien connu comme *un*, *une*, *du* ou *des*.**

Ces rayons lumineux ont modifié certaines couleurs vives de mes dessins d'enfance.

Où sont les noms communs?

Avec *un*, *une*, *du* ou *des* devant,

cela se dit bien, le mot est un nom commun.	ou	cela ne se dit pas bien, le mot n'est pas un nom.
un rayon, des rayons		un lumineux? des lumineux?
une couleur, des couleurs		un modifié? une modifié?
un dessin, des dessins		un certain? des certaines?
une enfance		un vive? une vive? des vives?

Le genre (*féminin* ou *masculin*) et le nombre (*singulier* ou *pluriel*) des noms

C   Le genre des noms

– Si le nom désigne une **fille** ou une **femme** (ou une **femelle** chez les animaux):   → le nom est **féminin**.

– Si le nom désigne un **garçon** ou un **homme** (ou un **mâle** chez les animaux):   → le nom est **masculin**.

– **Tous les autres noms** ont un genre **soit féminin**, **soit masculin**. On ne peut pas l'expliquer.

D   Pour trouver le genre d'un nom

Pour trouver le genre d'un nom, on peut se fier très souvent à l'oreille:

– le nom **se dit** bien **avec *une*** ou ***la***   → le nom est **féminin**
  exemples: la noirceur, une oreille, la Russie

– le nom **se dit** bien **avec *un*** ou ***le***   → le nom est **masculin**
  exemples: le jour, un crayon, le Mexique

Si on a un **doute**, on peut toujours vérifier le genre d'un nom dans le **dictionnaire**.

E   Pour trouver le nombre d'un nom

Le **nombre singulier ou pluriel** d'un nom dans une phrase **dépend de ce qu'on veut dire**.

Les joueurs de mon équipe trouvent le trésor.

> *Quel est le nombre des noms de cette phrase ?*

On parle d'*un*... d'*une*..., le nom est singulier.

On parle d'*une* équipe; d'*un* trésor.

ou

On parle de *plusieurs*... (*deux ou plus*), le nom est pluriel.

On parle de *plusieurs* joueurs.

1.2   Les déterminants

A   Les principaux déterminants

Les déterminants les plus connus sont ***le, la, les, un, une, du, des***. Il y en a d'autres.

Voici deux moyens d'identifier d'autres déterminants :
1. Le mot se dit bien devant un nom.
2. On peut le remplacer par un déterminant qu'on connaît bien.

Malika admire ce fabuleux trésor.

> *Où est le déterminant du nom **trésor** ?*

1 – Cela se dit bien, le mot est un déterminant.

ce trésor

ou

1 – Cela ne se dit pas bien seul, le mot n'est pas un déterminant.

~~fabuleux~~ trésor

2 – On peut remplacer *ce* par *le*.

le

Malika admire ce fabuleux trésor.

> *Le mot **ce** a passé le test. **Ce** est un déterminant.*

2 – On ne peut pas remplacer *fabuleux* par *le*.

~~le~~

... admire ce fabuleux trésor.

> *Le mot **fabuleux** n'est pas un déterminant. Il n'a pas passé le test.*

B Les déterminants annonceurs de nombre

Certains déterminants annoncent le nombre		Pour d'autres déterminants, on n'entend pas de différence entre le singulier et le pluriel
Singulier	Pluriel	
le, la, un, une, du ma, mon, ta, ton, sa, son notre, votre ce, cet, cette aucun, aucune chaque	les, des mes, tes, ses nos, vos ces deux…, dix…, vingt…, mille… quelques plusieurs	au, aux leur, leurs tout, tous toute, toutes quel, quelle, quels, quelles beaucoup de plein de (**Ex.**: *beaucoup de biscuits* *beaucoup de nourriture*)

Attention en les écrivant!

C Les déterminants annonceurs de genre

Certains déterminants annoncent le genre		D'autres déterminants se disent avec un nom féminin ou masculin
Féminin	Masculin	N'annoncent pas le genre
la, une ma, ta, sa cette aucune	le, un, du mon*, ton*, son* au ce aucun *__Attention!__* *mon, ton* et *son* se disent aussi devant un nom féminin qui commence par une voyelle ou un *h* muet: (**Ex.**: *mon amie, son hélice*).	l' notre, votre, leur chaque *Tous les déterminants pluriels:* les, des, aux, ces mes, tes, ses, nos, vos, leurs deux…, dix…, vingt…, mille… quelques, plusieurs beaucoup de, plein de tout*, toute*, tous*, toutes* quel*, quelle*, quels*, quelles* *__Attention!__* pour ces déterminants, les différences de genre ne s'entendent pas toujours.

1.3   L'adjectif

L'adjectif est une classe de mots qui **sert à décrire ou à préciser un nom**.

A   **Les positions de l'adjectif dans le GN**

1. Devant le nom (ou entre le déterminant et le nom).   **2.** Après le nom, à sa droite.

Une **jeune** chienne **enjouée** mordille son **nouveau** jouet **moelleux**.

D   A   N   A   A   D   A   N   A
GN   GN

B   **L'accord de l'adjectif**

L'adjectif **s'accorde en genre et en nombre avec le nom qu'il décrit** dans le groupe du nom.

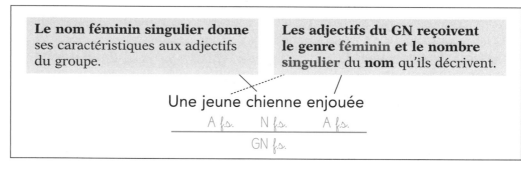

Le nom féminin singulier donne ses caractéristiques aux adjectifs du groupe.

Les adjectifs du GN reçoivent le genre féminin et le nombre singulier du nom qu'ils décrivent.

Une jeune chienne enjouée
A f.s.   N f.s.   A f.s.
GN f.s.

Donc, selon le genre et nombre du nom dans le GN, un adjectif peut être :
– masculin singulier,
– féminin singulier,
– masculin pluriel,
– féminin pluriel.

C   Les différences entre l'oral et l'écrit

La variation de l'adjectif			
En genre (du masculin au féminin)		**En nombre** (du singulier au pluriel)	
S'entend (souvent)	Ne s'entend pas	S'entend (parfois)	Ne s'entend pas
vert → verte grand → grande amusant → amusante rond → ronde long → longue sec → sèche vilain → vilaine méchant → méchante gros → grosse	naturel → naturelle mondial → mondiale noir → noire rouge → rouge* pédestre → pédestre*	amical → amicaux oral → oraux	vert → verts verte → vertes long → longs longue → longues pédestre → pédestres peureuse → peureuses peureux → peureux*

Note : *Parfois, il n'y a pas de différences à l'écrit.

D   Un test pour vérifier qu'un mot est un adjectif

On utilise deux caractéristiques de l'adjectif:

1. L'adjectif se dit bien **autour d'un nom** (même si dans la phrase, il n'est pas «collé» au nom).

2. L'adjectif, qui **varie en genre**, peut se dire avec un nom masculin et avec un nom féminin (on entend souvent la différence).

On fait le test avec quelques noms masculins et féminins qu'on connaît bien : *une personne, un personnage* ou *un objet, une chose*.

Regarde cette merveilleuse invention vraiment originale !

Où sont les adjectifs ?

Cela se dit bien, le mot est un adjectif.   ou   Cela ne se dit pas bien, le mot n'est pas un adjectif.

une merveilleuse personne,
un merveilleux personnage
un objet original,
une chose originale

~~un objet vraiment,
une chose vraiment~~

Les mots **merveilleuse** *et* **originale** *ont passé le test. Ces mots sont des adjectifs.*

Le mot **vraiment** *n'a pas passé le test. Ce n'est pas un adjectif.*

2. Les marques d'accord dans le groupe du nom

2.1 Le genre masculin ou féminin des noms et des adjectifs

POUR MARQUER LE GENRE FÉMININ DES NOMS ET ADJECTIFS

Règle générale pour passer du masculin au féminin

On **ajoute un -e** au nom ou à l'adjectif masculin:

un grand ami	→	une grande amie
un cousin poli	→	une cousine polie

Règles particulières pour passer du masculin au féminin

N° 1

On **double la consonne finale** et on **ajoute un -e**.

masculin en		féminin en
-en	→	**-enne,**
-on	→	**-onne,**
-et	→	**-ette,**
-el	→	**-elle,**
-s	→	**-sse**

un espion muet	→	une espionne muette
un gros chien cruel	→	une grosse chienne cruelle

Exceptions à la règle particulière n° 1:

complet → complète
inquiet → inquiète
secret → secrète
prêt → prête

Lorsqu'on entend le son [z] au féminin, on ne double pas le -s:

gris → grise, précis → précise

N° 2

masculin en **-er**	→	féminin en **-ère**
le premier policier	→	la première policière
un écolier fier	→	une écolière fière

N° 3

masculin en **-eau**	→	féminin en **-elle**
un beau jumeau	→	une belle jumelle
nouveau	→	nouvelle

N° 4

masculin en **-f**	→	féminin en **-ve**
un veuf naïf	→	une veuve naïve
neuf	→	neuve
attentif	→	attentive

N° 5

masculin en **-eux**	→	féminin en **-euse**
un amoureux	→	une amoureuse
furieux	→	furieuse
heureux	→	heureuse
sérieux	→	sérieuse

exception: vieux → vieille

N° 6

masculin en **-eur**	→	féminin en **-euse**
un chanteur	→	une chanteuse
un voleur rieur	→	une voleuse rieuse

N° 7

Pour certains noms et adjectifs:

masculin en **-teur**	→	féminin en **-trice**
un directeur	→	une directrice
un acteur	→	une actrice

N° 8

Autres transformations diverses pour quelques adjectifs:

blanc → blanche; franc → franche
fou → folle; mou → molle
long → longue

N° 9

Aucun changement au féminin

masculin **déjà en -e**	→	féminin en **-e**
un élève	→	une élève
un acrobate	→	une acrobate

drôle, jaune, rouge, solaire, scolaire, etc.

NOTE: Pour certains noms, le féminin est complètement différent:
garçon/fille, homme/femme, père/mère, oncle/tante, taureau/vache…

2.2   Le nombre singulier ou pluriel des noms et des adjectifs

POUR MARQUER LE NOMBRE PLURIEL DES NOMS ET ADJECTIFS	
Règle générale pour passer du singulier au pluriel	**Exceptions**
On **ajoute un -s** au nom ou à l'adjectif singulier. un chaton fou → des chatons fous un chandail rouge → des chandails rouges une piste cyclable → des pistes cyclables une jolie veste chaude → des jolies vestes chaudes un cou mou → des cous mous un détail intéressant → des détails intéressants un centre équestre → des centres équestres un enfant espiègle → des enfants espiègles	• **quelques noms en -ou** prennent un **-x** au pluriel: des bijoux, des cailloux, des choux, des genoux, des hiboux, des joujoux, des poux. • **quelques noms en -ail** se transforment en **-aux** au pluriel: un travail → des travaux, du corail → des coraux, un émail → des émaux, un vitrail → des vitraux.
Règles particulières	**Exceptions**
N° 1 singulier en **-al** → pluriel en **-aux** un cheval loyal → des chevaux loyaux le journal municipal → les journaux municipaux un animal génial → des animaux géniaux	• **quelques noms et adjectifs en -al** suivent la règle générale, ils prennent un **-s** au pluriel: des bals, des carnavals, des festivals, des récitals, fatal → fatals, final → finals, naval → navals.
N° 2 singulier en **-au, -eau, -eu** → pluriel en **-aux, -eaux, -eux** un beau tuyau → des beaux tuyaux un nouveau marteau → des nouveaux marteaux un jeu, un cheveu → des jeux, des cheveux	• **de rares noms (et un adjectif)** en **-eu** ou **-au** suivent la règle générale, ils prennent un **-s** au pluriel: des pneus bleus, des landaus.
N° 3 **aucun changement** au pluriel: singulier en → pluriel en **-s, -x** ou **-z** → **-s, -x** ou **-z** un gros nez → des gros nez une souris → des souris un tapis → des tapis un autobus → des autobus un lynx nerveux* → des lynx nerveux un prix curieux* → des prix curieux * Les adjectifs qui se terminent par le son [eu] s'écrivent avec un **-x** à la fin, même au singulier.	

NOTE: Quelques noms ont un pluriel irrégulier: un œil/des yeux, madame/mesdames, mademoiselle/mesdemoiselles, monsieur/messieurs…

3. L'accord dans le GN: des cas difficiles

A **Attention à ces difficultés**

1. Le nom n'est pas toujours précédé d'un déterminant

Ces **noms** sont précédés d'un déterminant.

un sac de **billes**, une boîte à **pain**

Ces **noms** n'ont pas de déterminant, ils sont précédés d'un mot invariable (*de*, *à*).

Il faut réfléchir à leur genre et surtout **à leur nombre**.

- Sont-ils féminins ou masculins ?
- Parle-t-on d'un seul…? d'une seule…? du pain en général ?
    → le nom est singulier;
- Parle-t-on de plusieurs…?
    → le nom est pluriel.

2. L'adjectif est éloigné du nom qu'il décrit

a) Un adjectif peut être relié à un autre adjectif par *et* :

Tous les adjectifs qui décrivent un même nom reçoivent le genre et le nombre de ce nom.

deux adjectifs reliés par ***et***

Cet énergumène a des pieds **noirs** et **poilus**.
N m.pl.   A m.pl.   A m.pl.
GN

b) Il peut y avoir un mot invariable entre le nom et l'adjectif :

Ces mots ne sont pas des adjectifs, ils sont invariables.

Il a des pieds **très** poilus, des lunettes **trop** épaisses.
N m.pl.   A m.pl.   N f.pl.   A f.pl.
GN   GN

Des mots comme *très* ou *trop* n'ont pas les caractéristiques des adjectifs.

La preuve, on ne peut pas les dire au féminin en ajoutant un -*e* : très/~~trèse~~ ??? trop/~~trope~~ ???

Cela ne se dit pas !

3. Les mots n'appartiennent pas toujours à la même classe

Les mots peuvent changer de classe. Cela dépend de leur position dans la phrase.

a) Certains déterminants ne sont pas toujours des déterminants.

Les mots *le, la* et *les* sont très souvent des déterminants, mais peuvent aussi être des pronoms.

> Le mot *les* est un **déterminant**, il se trouve **devant un nom**.
>
> Le mot *les* est un **pronom**, il se trouve **devant un verbe**. Comme pronom il remplace ici le GN *les bateaux*.
>
> Meagan observe **les** bateaux dans le port. Elle **les** regarde souvent.
> D   N   Pron. V

b) Certains noms ne sont pas toujours des noms.

Comme plusieurs mots, le mot *fête* peut être un nom ou un verbe.

> Le mot *fête* est un **nom**, car il est **précédé d'un déterminant**.
>
> Le mot *fête* est un **verbe** conjugué puisqu'on peut l'**encadrer** des mots de négation *ne ... pas*.
>
>
>
> Max est invité à une **fête**.   Son ami **fête** ses dix ans.
>   D   N   V

NOTE : Repérer les verbes conjugués de chaque phrase **avant** de vérifier les accords dans les groupes du nom permet d'éviter bien des confusions quand on corrige un texte.

c) **Certains adjectifs ne sont pas toujours des adjectifs.**

- Comme plusieurs mots, le mot *petit* peut être un nom ou un adjectif.

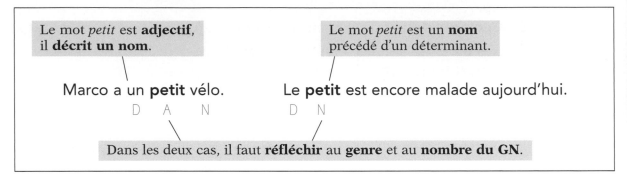

- Comme quelques mots, le mot *fort* peut être un adjectif ou un mot invariable.

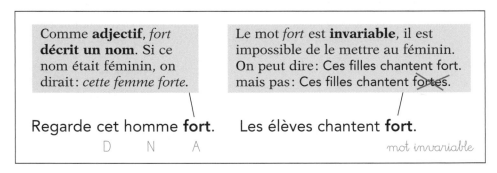

B **L'adjectif en dehors du groupe du nom**

Les **adjectifs** ne sont pas toujours dans le groupe du nom. On les trouve souvent **après les verbes** *être*, *sembler* ou *paraître*.

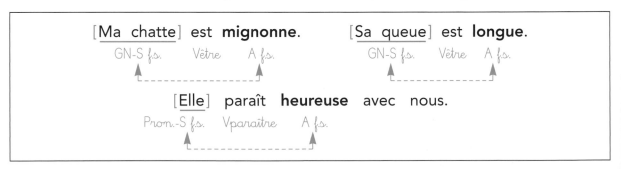

Ces **adjectifs** décrivent le groupe du nom ou le pronom qui est **sujet** de la phrase. Ils reçoivent le genre et le nombre du sujet.

Chapitre 9 • L'accord du verbe

Pour pouvoir accorder le verbe, il faut :
1. repérer le verbe,
2. repérer le sujet,
3. trouver la bonne terminaison du verbe.

1. Repérer le verbe

Trois moyens pour reconnaître le verbe

Le **verbe** est une classe de mots qui présente **trois caractéristiques**.

A **La négation**

On peut **encadrer le verbe** par les mots *ne* et *pas* ou *n'* et *pas*.

> ne pas
> Olivier   **rêve**   à un fantôme.
>   V

B **Le temps**

Le verbe indique le temps. La fin du verbe change selon le moment où cela se passe sur la ligne du temps.

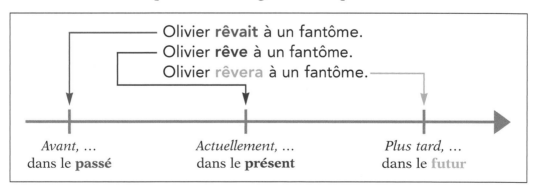

> Olivier **rêvait** à un fantôme.
> Olivier **rêve** à un fantôme.
> Olivier rêvera à un fantôme.
>
> *Avant, …*   *Actuellement, …*   *Plus tard, …*
> dans le **passé**   dans le **présent**   dans le futur

C **La conjugaison**

On peut **conjuguer le verbe** en plaçant un des mots suivants devant : *je, tu, il, elle*.

> Olivier **rêve** à un fantôme.
>   je rêve
>   tu rêves
>   il rêve
>   elle rêve…

Distinguer le verbe conjugué du verbe à l'infinitif

Dans une phrase, on peut trouver:

– des **verbes conjugués** (**ex.**: *trouvait, prends, veux*…),

– des **verbes à l'infinitif** (**ex.**: *trouver, prendre, vouloir*…).

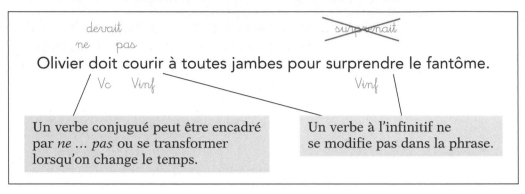

Deux moyens pour trouver l'infinitif d'un verbe conjugué

1. Penser à la **forme** qu'on chercherait dans le **dictionnaire**.

ils courent: dans le dictionnaire, on trouve *courir*.

2. Transformer le verbe **en ajoutant les mots *il va* devant**.

il sortait → ***il va*** *sortir*: ***sortir*** est la forme à l'infinitif du verbe conjugué *sortait*,

tu rêvais → ***il va*** *rêver*: ***rêver*** est la forme à l'infinitif du verbe conjugué *rêvais*.

2. Repérer le sujet dans la phrase

2.1 Le groupe du nom en fonction sujet ou GN-S

Dans la phrase, c'est très souvent un **groupe du nom** qui occupe la fonction de **sujet**. Pour abréger, on parle du **GN-S.**

• On trouve **souvent le GN-S devant le verbe**, à sa gauche.

• Le GN-S **influence la finale d'un verbe conjugué**, pas celle des verbes à l'infinitif.

• **Le verbe s'accorde avec le GN-S** en recevant le **même nombre** (*singulier* ou *pluriel*) et la **même personne** (*la 3ᵉ*) que le GN-S.

• Le GN-S ne donne pas son genre (*féminin* ou *masculin*) au verbe conjugué.

ATTENTION! Le pluriel d'un verbe ne s'écrit pas de la même façon que le pluriel d'un nom.

2.2 Trois moyens pour reconnaître le GN-S dans la phrase

A Remplacer le GN-S par un pronom : *il, elle, ils* ou *elles*

Tout le GN-S doit être effacé pour faire place au pronom.
On choisit le pronom selon que le GN-S qu'il remplace est féminin ou masculin, singulier ou pluriel.

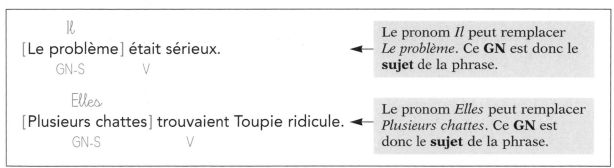

Il
[Le problème] était sérieux.
  GN-S   V

> Le pronom *Il* peut remplacer *Le problème*. Ce **GN** est donc le **sujet** de la phrase.

Elles
[Plusieurs chattes] trouvaient Toupie ridicule.
  GN-S   V

> Le pronom *Elles* peut remplacer *Plusieurs chattes*. Ce **GN** est donc le **sujet** de la phrase.

B Encadrer le GN-S par l'expression *C'est … qui*

C'est   *qui*   *C'est*   *qui*
[Son copain Moustache] a une bonne idée.   [L'idée] enchante Toupie.
       GN-S   V   GN-S   V

C Remplacer le GN-S par *Qui est-ce qui* ou *Qu'est-ce qui* devant le verbe

Le GN effacé est le sujet de la phrase. Il constitue en même temps la réponse à la question.

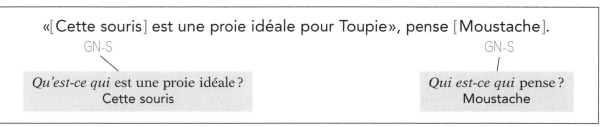

«[Cette souris] est une proie idéale pour Toupie», pense [Moustache].
    GN-S   GN-S

Qu'est-ce qui est une proie idéale ?
Cette souris

Qui est-ce qui pense ?
Moustache

ATTENTION !

- Dans les moyens B et C, c'est très important d'utiliser le mot **qui** devant le verbe, jamais le mot *que*.
- Dans la phrase, le GN-S n'est pas toujours devant le verbe, mais pour le trouver, le mot **qui** est toujours **devant**.

2.3 Le pronom en fonction sujet dans la phrase

Un **pronom** peut aussi occuper la fonction **sujet**. Pour conjuguer un verbe, on utilise les pronoms sujets.

Pronoms sujets (*ou* Pronoms de conjugaison)			
Nombre	**1re personne**	**2^e personne**	**3^e personne**
Singulier	*je, j'*	*tu*	*il, elle, cela, ça, on*
Pluriel	*nous*	*vous*	*ils, elles*

Il y a :

- **des pronoms toujours sujets :** *je, tu, il, on, ils.*
  Lorsqu'un de ces pronoms se trouve dans une phrase, on sait tout de suite qu'il est sujet.

- **des pronoms souvent sujets… mais pas toujours :** *elle, elles, nous, vous, cela, ça.* Pour savoir si un de ces pronoms est sujet, il faut utiliser les moyens B ou C pour identifier le GN-S.

ATTENTION ! Les pronoms de la 3e personne (sauf *on*) doivent remplacer un groupe de mots qui se trouve aussi dans le texte et qui est facile à identifier.

3. Ce qui peut rendre difficile l'identification du verbe et du sujet

A **Des mots qui sont des verbes… mais pas toujours**

Selon la phrase où ils se trouvent, certains mots peuvent être soit un verbe, soit un mot d'une autre catégorie (nom, adjectif…).

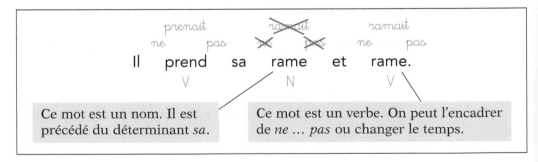

Ce mot est un nom. Il est précédé du déterminant *sa*.

Ce mot est un verbe. On peut l'encadrer de *ne … pas* ou changer le temps.

B **Le GN-S est un long groupe qui contient plusieurs noms**

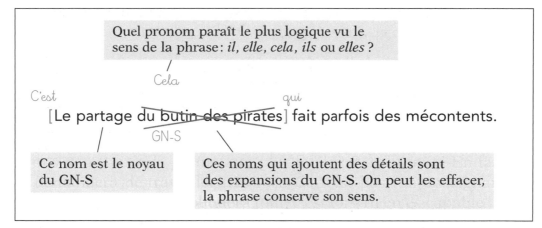

Quel pronom paraît le plus logique vu le
sens de la phrase : *il, elle, cela, ils* ou *elles* ?

Cela

C'est *qui*

[Le partage du butin des pirates] fait parfois des mécontents.

GN-S

Ce nom est le noyau
du GN-S

Ces noms qui ajoutent des détails sont
des expansions du GN-S. On peut les effacer,
la phrase conserve son sens.

C **Deux noms sont reliés par le mot *et***

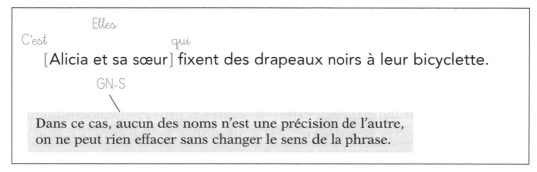

Elles
C'est *qui*

[Alicia et sa sœur] fixent des drapeaux noirs à leur bicyclette.

GN-S

Dans ce cas, aucun des noms n'est une précision de l'autre,
on ne peut rien effacer sans changer le sens de la phrase.

D **Le sujet est éloigné du verbe**

Des mots forment un écran entre le sujet et le verbe.

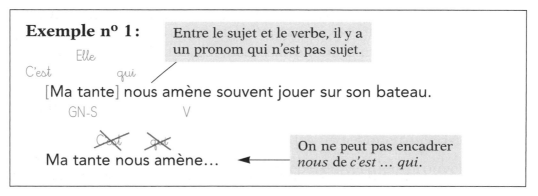

Exemple nº 1 :

Entre le sujet et le verbe, il y a
un pronom qui n'est pas sujet.

Elle
C'est *qui*

[Ma tante] nous amène souvent jouer sur son bateau.

GN-S   V

Ma tante nous amène…

On ne peut pas encadrer
nous de *c'est … qui*.

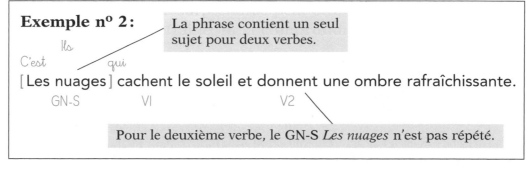

Exemple nº 2 :

La phrase contient un seul
sujet pour deux verbes.

Ils
C'est *qui*

[Les nuages] cachent le soleil et donnent une ombre rafraîchissante.

GN-S   V1   V2

Pour le deuxième verbe, le GN-S *Les nuages* n'est pas répété.

E **Le nom du GN-S est un nom collectif**

Les **noms collectifs** désignent **un ensemble** de personnes ou de choses (exemples : *un groupe, une collection, un troupeau*).

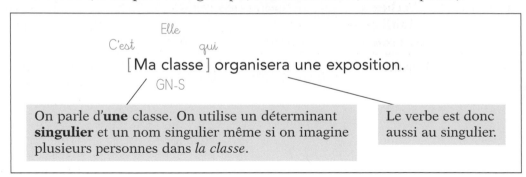

Elle

C'est *qui*

[Ma classe] organisera une exposition.

GN-S

On parle d'**une** classe. On utilise un déterminant **singulier** et un nom singulier même si on imagine plusieurs personnes dans *la classe*.

Le verbe est donc aussi au singulier.

4. Écrire sans faute la terminaison du verbe

Les deux parties du verbe : radical et terminaison

Le **radical** donne le sens du verbe.

La **terminaison** du verbe donne en plus des renseignements sur le temps, la personne et le nombre.

Exemple : Elles **apportaient**

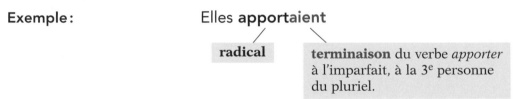

radical

terminaison du verbe *apporter* à l'imparfait, à la 3e personne du pluriel.

4.1   Les terminaisons du présent de l'indicatif

LE PRÉSENT			
Personne	**Verbes à l'infinitif en -er** ex.: *sauter*	**Les autres verbes** ex. 1: *rougir*	ex. 2: *lire*	**Exceptions (regroupées par personne)**
1re du s. *je*	je saut**e**	je rougi**s**	je li**s**	• *cueillir, accueillir, recueillir, couvrir, découvrir, ouvrir, offrir, souffrir*: **-e** je cueill**e**, j'accueill**e**, je recueill**e**, je couvr**e**, je découvr**e**, j'ouvr**e**, j'offr**e**, je souffr**e** • *aller*: je **vais**, *avoir*: j'**ai** • *pouvoir, vouloir, valoir*: **-x** je peu**x**, je veu**x**, je vau**x**
2e du s. *tu*	tu saut**es**	tu rougi**s**	tu li**s**	• *pouvoir, vouloir, valoir*: **-x** tu peu**x**, tu veu**x**, tu vau**x**
3e du s. *il/elle* *on* *cela/ça*	il saut**e**	elle rougi**t**	on li**t**	• *cueillir, accueillir, recueillir, couvrir, découvrir, ouvrir, offrir, souffrir*: **-e** elle cueill**e**, elle accueill**e**, elle recueill**e**, elle couvr**e**, il découvr**e**, il ouvr**e**, elle offr**e**, il souffr**e** • *aller*: il **va** • *avoir*: elle **a** • *prendre* (et autres verbes à l'infinitif en *-dre* comme *comprendre* et *répondre*): **-d** il pren**d**, elle compren**d**
1re du pl. *nous*	nous saut**ons**	nous rougiss**ons**	nous lis**ons**	• *être*: nous **sommes**
2e du pl. *vous*	vous saut**ez**	vous rougiss**ez**	vous lis**ez**	• *être*: vous **êtes** • *faire*: vous **faites** • *dire*: vous **dites** **ATTENTION!** les formes ~~*vous disez, vous faisez*~~ sont incorrectes.
3e du pl. *ils/elles*	elles saut**ent**	ils rougiss**ent**	elles lis**ent**	• *être*: ils **sont** • *avoir*: elles **ont** • *aller*: ils **vont** • *faire*: elles **font**

4.2 Les terminaisons de l'imparfait de l'indicatif

L'IMPARFAIT				
Personne	**Singulier**		**Pluriel**	
	Verbes en *-er* ex.: *penser*	Les autres verbes ex.: *rugir, voir*	Verbes en *-er* ex.: *penser*	Les autres verbes ex.: *rugir, voir*
1re	je pens**ais**	je rugiss**ais** je voy**ais**	nous pens**ions**	nous rugiss**ions** nous voy**ions**
2^e	tu pens**ais**	tu rugiss**ais** tu voy**ais**	vous pens**iez**	vous rugiss**iez** vous voy**iez**
3^e	elle pens**ait**	il rugiss**ait** on voy**ait**	ils pens**aient**	elles rugiss**aient** ils voy**aient**

Il n'y a pas d'exceptions à ces règles.

4.3 La formation du passé composé

Le **passé composé** se conjugue en deux mots selon la formule suivante :

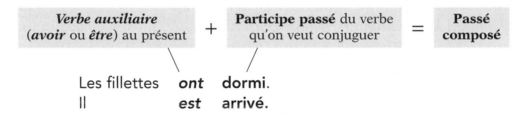

Verbe auxiliaire (***avoir*** ou ***être***) au présent + **Participe passé** du verbe qu'on veut conjuguer = **Passé composé**

Les fillettes **ont** dormi.
Il **est** arrivé.

- **L'auxiliaire *avoir* ou *être* au présent** constitue la **partie conjuguée** du verbe au passé composé. Il **s'accorde** avec le GN ou le pronom **sujet** de la phrase.

- **Le participe passé fournit le sens du verbe.** Il se termine le plus souvent par les sons [é], [i] ou [u] (exemples : *lancé, fini, vu*).

ATTENTION ! Parfois, le participe passé s'accorde aussi, mais pas comme un verbe conjugué. Tu trouveras à la page 275 l'explication de ces règles bien particulières.

4.4 Les terminaisons du futur simple de l'indicatif

LE FUTUR SIMPLE				
Personne	**Singulier**		**Pluriel**	
	Verbes à l'infinitif en **-er** (sauf *aller*)	Tous les autres verbes	Verbes à l'infinitif en **-er** (sauf *aller*)	Tous les autres verbes
1re	je pens**erai**	je rugi**rai** je ver**rai**	nous pens**erons**	nous rugi**rons** nous ver**rons**
2^e	tu pens**eras**	tu rugi**ras** tu ver**ras**	vous pens**erez**	vous rugi**rez** vous ver**rez**
3^e	elle pens**era**	il rugi**ra** on ver**ra**	ils pens**eront**	elles rugi**ront** ils ver**ront**

Il n'y a pas d'exceptions à ces règles.

4.5 Les terminaisons du conditionnel présent de l'indicatif

LE CONDITIONNEL PRÉSENT				
Personne	**Singulier**		**Pluriel**	
	Verbes à l'infinitif en **-er** (sauf *aller*)	Tous les autres verbes	Verbes à l'infinitif en **-er** (sauf *aller*)	Tous les autres verbes
1re	je pens**erais**	je rugi**rais** je ver**rais**	nous pens**erions**	nous rugi**rions** nous ver**rions**
2^e	tu pens**erais**	tu rugi**rais** tu ver**rais**	vous pens**eriez**	vous rugi**riez** vous ver**riez**
3^e	elle pens**erait**	il rugi**rait** on ver**rait**	ils pens**eraient**	elles rugi**raient** ils ver**raient**

Il n'y a pas d'exceptions à ces règles.

4.6 La formation du futur proche de l'indicatif

Le **futur proche** est un temps composé du mode indicatif.
Il se conjugue en deux mots selon la formule qui suit :

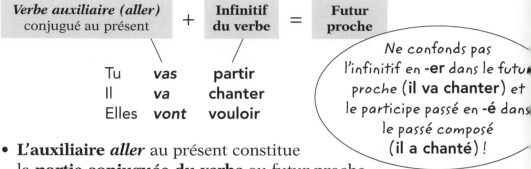

| Verbe auxiliaire (aller) conjugué au présent | + | Infinitif du verbe | = | Futur proche |

Tu	**vas**	partir
Il	**va**	chanter
Elles	**vont**	vouloir

*Ne confonds pas l'infinitif en **-er** dans le futur proche (**il va chanter**) et le participe passé en **-é** dans le passé composé (**il a chanté**) !*

- **L'auxiliaire** *aller* au présent constitue la **partie conjuguée du verbe** au futur proche. Il **s'accorde avec** le GN ou le pronom **sujet** de la phrase.

- L'infinitif donne son sens à la phrase. L'infinitif reste invariable.

4.7 Les terminaisons du présent de l'impératif

LE PRÉSENT DE L'IMPÉRATIF			
Personne	**Singulier**		**Pluriel**
	Verbes à l'infinitif en **-er** (sauf *aller*)	Tous les autres verbes	Tous les verbes
1re			regard**ons** finiss**ons** part**ons**
2^e	regard**e**	fini**s** par**s**	regard**ez** finiss**ez** part**ez**

La 1re et la 3e personne du singulier et la 3e personne du pluriel n'existent pas au mode impératif.

Quelques exceptions, seulement pour la 2e personne du singulier :

- *aller* : **va** (mais on écrit *vas-y*)

- *cueillir, accueillir, recueillir, couvrir, découvrir, ouvrir, offrir, souffrir* : **-e**
  cueill**e**, accueill**e**, recueill**e**, couvr**e**, découvr**e**, ouvr**e**, offr**e**, souffr**e**

Quelques verbes qui font exception à l'impératif :

avoir	être	savoir	vouloir
aie	sois	sache	*
ayons	soyons	sachons	*
ayez	soyez	sachez	veuillez

*jamais utilisé

Chapitre 10 • Le participe passé

Verbe à l'infinitif (Vinf)	Participe passé (PP) du verbe
réfléchir	**réfléchi**
vouloir	**voulu**
arriver	**arrivé**

terminaisons

> Les PP en **-é** et les Vinf en **-er** sont faciles à confondre parce qu'ils sonnent de la même façon.

Exceptions aux terminaisons des verbes au participe passé					
Vinf	**PP au masculin**	**PP au féminin**	**Vinf**	**PP au masculin**	**PP au féminin**
prendre	pris	prise	écrire	écrit	écrite
asseoir	assis	assise	faire	fait	faite
mettre	mis	mise	dire	dit	dite

> Le participe passé sert à former le passé composé :
> **Elle est arrivée.**
> **Tu as réfléchi.**
> ➡ p. 272

> Pour savoir si un participe passé se termine par un **s** ou un **t** muet au masculin, on peut le dire au féminin.

Deux positions du participe passé dans la phrase

1. Après les verbes *avoir* ou *être*

J'|ai| oublié mon parapluie. Il |est| perdu ! Mon père |était| fâché…

V avoir + PP   *V être + PP*   *V être + PP*

2. Dans le groupe du nom

Mon père fâché refuse de remplacer le parapluie perdu.

 D   N   PP   D   N   PP
   GN   GN

Deux moyens pour distinguer le participe passé en -é du verbe à l'infinitif en -er

1. Un test de substitution

Pour savoir si on a un participe passé en -*é* ou un infinitif en -*er*, on **remplace** le verbe **par** un autre qui a deux formes très différentes à l'oral : le verbe **infinitif** *perdre* ou son **participe passé** *perdu*.

Pour apprendre à ~~perdu~~
Pour apprendre à perdre

Tran a perdu
Tran a ~~perdre~~

Pour apprendre à contrôler sa peur des insectes, Tran a visité l'Insectarium.   **?**   **?**

Le mot se remplace bien par l'infinitif *perdre*, alors c'est un verbe à l'infinitif en -*er*.

Le mot se remplace bien par le participe passé *perdu*, alors c'est un participe passé en -*é*. Il faut voir ensuite s'il s'accorde.

2. La position dans la phrase

Pour le PP : un 1ᵉʳ lieu sûr	**Pour le Vinf : un lieu sûr**
À la suite du verbe *avoir* ou *être* c'est un PP (jamais un Vinf). Max aurait glissé. Tu es tombée. *V avoir* + PP *V être* + PP	• **Après un mot invariable** comme *à, de, pour, sans*, c'est un Vinf (jamais un PP). J'apprends **à** parler le russe. mot invar. **+** Vinf
Pour le PP : un 2ᵉ lieu sûr	**Pour le Vinf : un lieu presque sûr***
Dans un GN, le PP décrit le nom, comme un adjectif. Juliette soigne un oiseau blessé. D N PP / GN Luc voit un vélo rouillé. D N PP / GN	• Après un premier verbe conjugué (V1) qui n'est pas *être* ou *avoir*, le deuxième verbe est à l'infinitif. Ludo peut rester chez ses amis. V1 (autre que *avoir* ou *être*) **+** Vinf ***Attention !** Après le verbe *paraître* ou le verbe *sembler*, on trouve parfois un PP, parfois un Vinf : Julie semble **aimée** de tous. Julie semble **aimer** le sport.

Quand et comment le participe passé s'accorde

Le participe passé s'accorde:

1. quand il est utilisé avec le verbe *être*.

Le GN-S ou le Pron.-S donne au PP son genre et son nombre.

[Des oies] ⬚sont⬚ venues vivre près de l'étang.

GN-S *f.pl.*   Vêtre   PP *f.pl.*

2. quand il est dans un GN.

Le nom du GN donne au PP son genre et son nombre.

Les oies dorment avec leurs ailes repliées.

D   N *f.pl.*   PP *f.pl.*
GN *f.pl.*

LES MARQUES D'ACCORD À ÉCRIRE

Le participe passé s'accorde comme un adjectif:
*- ajout d'un **-e** au féminin,*
*- ajout d'un **-s** au pluriel.*

Le participe passé ne s'accorde pas, il reste invariable, quand il est employé après le verbe *avoir**.

Deux jeunes filles ⬚ont⬚ apprivoisé des oies sauvages.

Vavoir   PP invar.

* Quelques exceptions à cette règle seront vues au secondaire.

Comprendre et écrire correctement les mots

Chapitre **11• Consulter un dictionnaire**

Des informations qu'on trouve dans un article de dictionnaire

¹ **silencieux, silencieuse** ² adjectif. ³ **1.** ⁵ *La nuit, tout est silencieux,* ⁶ on n'entend aucun bruit. • Synonymes : ⁷ calme, tranquille. Contraire : ⁸ bruyant. ⁴ **2.** ⁵ *Pendant tout le repas, Anaïs est restée silencieuse,* ⁶ elle n'a pas parlé.

Dictionnaire Larousse des débutants © Larousse/HER 2000

1 orthographe	**5** exemple où on met le mot dans une phrase
2 classe du mot (sa catégorie en grammaire)	**6** explication du sens du mot
3 chiffre indiquant le 1ᵉʳ sens du mot	**7** mots de même sens
4 chiffre indiquant un 2ᵉ sens pour ce mot	**8** mot de sens contraire

Les mots-repères : un outil pour la recherche dans le dictionnaire

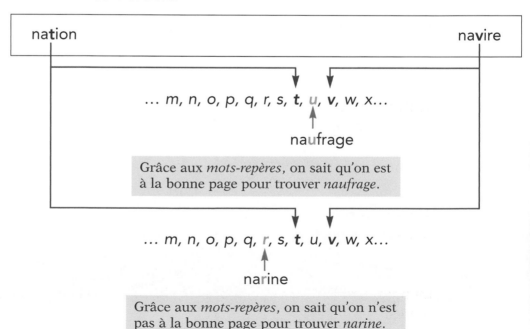

Chapitre 12 • Explorer le vocabulaire

Une constellation de mots

Qu'est-ce que c'est ?

Un ensemble de mots rassemblés et organisés autour d'un thème.

Comment ça se fait ?

1. On pense à un thème (par exemple, *arbre*) et on fait une *tempête d'idées* : on écrit autour du thème les mots qui viennent à l'esprit.

2. Ensuite, on classe les mots obtenus.

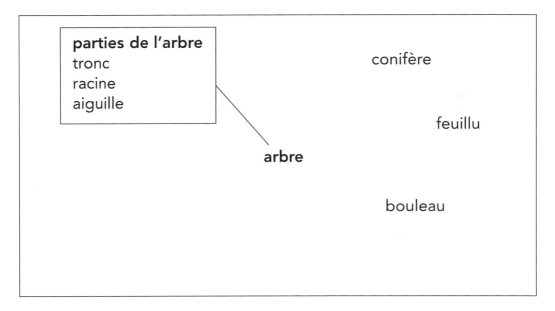

À quoi ça sert ?

À choisir quoi développer dans un projet.

Un mot englobant

Qu'est-ce que c'est ?

Un mot général qui englobe des mots plus précis.

Animal englobe *félin* qui englobe *tigre*.

À quoi ça sert ?

À éviter les répétitions.

Ce félin

Le tigre est mon animal préféré. ~~Le tigre~~ a le pelage jaune à rayures noires.

Où trouver un mot englobant ?

1- En faisant une phrase avec *est une sorte de...*

La marguerite *est une sorte de* fleur. (*Fleur* englobe *marguerite*.)

2- En regardant dans le dictionnaire.

L'article *tigre* précise que cet animal est un félin.

Les synonymes

Qu'est-ce que c'est ?
Des mots qui ont à peu près le même sens.

Ces mots veulent dire la même chose dans cette phrase.

Je **ferai** une mangeoire. = Je **construirai** une mangeoire.

À quoi ça sert ?
À éviter les répétitions.

écrira
Après avoir fait sa chambre, il ~~fera~~ un poème.

Où les trouver ?
Dans le dictionnaire.

À l'article *faire*, on trouve des synonymes de ce mot.

Les antonymes

Qu'est-ce que c'est ?
Des mots qui ont un sens contraire.

Il est **méchant**. ≠ Il est **gentil**.

Où les trouver ?
Dans le dictionnaire.

À l'article *méchant*, on trouve le contraire de ce mot.

Chapitre 13 • Les familles de mots

Les deux caractéristiques des mots de même famille

Les mots de même famille :

- sont formés à partir du **même mot de base** ;
- ont une parenté de sens.

Famille du mot *terre*

dé**terre**r
en**terre**ment
terre
terrien

La formation de mots de même famille

On peut ajouter :
→ un **préfixe** au **mot de base** (**impoli**) ;
→ un **suffixe** au **mot de base** (**poliment**) ;
→ un **préfixe** et un **suffixe** au **mot de base** (**impoliment**).

Ajouter un **suffixe** peut changer la classe du mot (ex. : *beau* est un adjectif, *beauté* est un nom).

Tableau de préfixes

Préfixe	Sens du préfixe	Exemple
anti-	contre	antidouleur (contre la douleur)
bi-	deux	bimoteur (qui a deux moteurs)
dé-, dés-	contraire de	décoiffer (contraire de coiffer) désobéir (contraire d'obéir)
il-, im-, in-, ir-		illisible (contraire de lisible) impolie (contraire de polie) incorrect (contraire de correct) irréparable (contraire de réparable)
pré-	d'avance	précuit (cuit d'avance)
r-, re-, ré-	de nouveau	racheter (acheter de nouveau) redire (dire de nouveau) réélire (élire de nouveau)
tri-	trois	tricorne (qui a trois cornes)

Tableau de suffixes

Suffixe	Sens du suffixe	Ce qu'il sert à former	Exemples
-able	qui peut être	des adjectifs	effaçable (qui peut être effacé)
-ible			lisible (qui peut être lu)
-al/-ale, *-ial/-iale*	qui a rapport à		théâtral/théâtrale (qui a rapport au théâtre) racial/raciale (qui a rapport à la race)
-ade	action de	des noms	baignade (action de se baigner)
-age			patinage (action de patiner)
-tion, *-ation,* *-ition*			détection (action de détecter) coloration (action de colorer) disparition (action de disparaître)
-ant/-ante, *-eur/-euse,* *-teur/-trice,* *-ateur/-atrice,* *-iteur/-itrice*	qui fait l'action de	des noms et des adjectifs	amusant/amusante (qui amuse) plongeur/plongeuse (qui plonge) sculpteur/sculptrice (qui sculpte) organisateur/organisatrice (qui organise) compositeur/compositrice (qui compose des œuvres musicales)
-er/-ère, *-ier/-ière*	qui exerce le métier de		horloger/horlogère (qui fait ou vend des horloges) costumier/costumière (qui fait ou vend des costumes)
-eux/-euse	indique une caractéristique		chanceux/chanceuse (qui a de la chance) dangereux/dangereuse (qui représente un danger)

L'utilité des mots de même famille pour retenir l'orthographe d'un mot

Les mots de même famille servent à **savoir** :

- quelle est la **dernière lettre d'un mot**
  (ex. : profon**d**eur, profon**d**ément → profon**d**);

- **quelles lettres** écrire **dans un mot**
  (ex. : **len**t → **len**tement, **len**teur
  coi**ff**er → coi**ff**ure, coi**ff**euse).

Chapitre **14** • Des régularités orthographiques

Les sons [an], [on], [in]

Le plus souvent, le son [an] s'écrit ⟶ *en* (ex.: **en**lever);
⟶ *an* (ex.: ch**an**ce);

le son [on] s'écrit ⟶ *on* (ex.: b**on**jour);

le son [in] s'écrit ⟶ *in* (ex.: **in**visible).

Mais devant les lettres **b**, **p** ou **m**, les sons [an], [on], [in] s'écrivent ⟶ *am* (ex.: ch**amb**re, **amp**oule);
⟶ *em* (ex.: déc**emb**re, r**emp**lir, **emm**ener);

⟶ *om* (ex.: **omb**re, p**omp**ier);

⟶ *im* (ex.: t**imb**re, gr**imp**er).

La lettre g

La lettre *g* ⟶ a le son d'un «*g* dur» devant *a*, *o*, *u*
(ex.: **ga**lerie, ri**go**lo, lé**gu**me);

⟶ a le son d'un «*g* doux» devant *e*, *i*, *y*
(ex.: étran**ge**, **gi**rafe, **gy**mnase).

La lettre *e* après le *g* ⟶ «adoucit» le son du *g* devant *a*, *o*, *u*
(ex.: oran**gea**de, plon**geo**n).

La lettre *u* après le *g* ⟶ «durcit» le son du *g* devant *e*, *i*, *y*
(ex.: bla**gue**, **gui**tare, **Guy**).

La lettre c

La lettre *c* ⟶ a le son [k] devant *a*, *o*, *u* (ex.: **ca**nard, é**co**le, **cu**be);

⟶ a le son [s] devant *e*, *i*, *y* (ex.: tra**ce**, **ici**, **cy**gne).

La lettre *ç* ⟶ a le son [s] et on la trouve seulement devant *a*, *o*, *u*
(ex.: fran**ça**is, le**ço**n, dé**çu**).

La lettre s

La lettre *s* ⟶ a le son [z] entre deux **voyelles** (ex.: divi**se**r);

⟶ a le son [s] ailleurs (ex.: **s**avoir, in**s**trument,
bi**s**cuit, pin**s**on).

Les lettres *ss* ⟶ ont le son [s] et on les trouve seulement entre
deux **voyelles** (ex.: de**ssi**n).

Annexes

Des adjectifs pour décrire

■ Des moments

- un **matin** ... ensoleillé, lumineux...

  ... frisquet, froid, brumeux, glacial, grisâtre...

- une **journée** ... historique, mémorable...

  ... ensoleillée, idéale, chaude, bien remplie, amusante, fantastique, extraordinaire, splendide...

  ... épuisante, pluvieuse, venteuse, orageuse, fatigante, horrible...

- une **nuit** ... longue, courte, venteuse...

  ... claire, étoilée...

  ... noire, profonde, obscure, sombre...

■ Des phénomènes météorologiques

- un **vent** ... marin, nordique...

  ... doux, chaud...

  ... fort, violent, froid, glacial...

- des **nuages** ... élevés, blancs, légers...

  ... bas, gris, noirs, violacés, sombres, menaçants...

- une **pluie** ... intermittente, passagère, automnale...

  ... fine, chaude, douce...

  ... glacée, battante, forte, torrentielle...

- une **neige** ... artificielle, poudreuse, collante, épaisse, abondante, fondue, glacée...

  ... étincelante, fraîche, légère, pure...

  ... grise, sale...

■ Des lieux

- une **maison** ... ancienne, moderne, blanche, rustique, vide, habitée...

  ... accueillante, vaste, luxueuse, solide...

  ... hantée, abandonnée, délabrée...

- une **forêt** ... vierge, boréale, tropicale...

  ... enchantée, magnifique, dense, épaisse...

  ... sauvage, sombre, inquiétante, impénétrable...

- une **rue** ... piétonnière, commerçante, principale, pavée, large, étroite, barrée...

  ... animée, tranquille...

  ... encombrée, passante, déserte, bruyante...

■ Des personnes et des personnages

- un **enfant**, une **enfant**, un **adolescent**, une **adolescente**, un **adulte**, une **adulte**

  ... sportive, rêveur, romantique...

  ... obéissant, enjouée, débrouillard, espiègle, affectueuse, adorable, studieuse, enthousiaste, déterminé, compréhensive, confiant, généreuse, jovial, responsable, optimiste, calme...

  ... timide, têtue, capricieux, taquine, agité, insupportable, moqueuse, rebelle, arrogant, impatiente, borné, autoritaire, bourru, malicieuse, irresponsable...

- un **personnage** ... historique, principal, secondaire...

  ... célèbre, important, séduisant, comique, élégant, fabuleux, attachant, aimable, brave, intelligent, original, fantastique, adorable...

  ... horrible, inquiétant, ridicule, détestable, distrait, malhonnête, maladroit, égoïste...

■ Des parties du corps

- des **cheveux** ... fins, plats, raides, frisés, bouclés, crépus, ondulés, laineux, lisses, noirs, bruns, châtains, roux, blonds, gris, blancs, argentés, abondants, épais, clairsemés...

  ... brillants, soyeux, souples...

  ... ternes, emmêlés, secs, gras, hirsutes...

- un **visage** ... rond, allongé, ovale, joufflu, maigre, expressif, sérieux, basané, bronzé, ridé, boutonneux...

  ... mignon, agréable, lisse, détendu, rayonnant, reposé, souriant, tranquille...

  ... blafard, blême, fatigué, crispé, sévère, maussade...

- des **yeux** ... bridés, vairons...

  ... doux, pétillants, brillants, rieurs...

  ... larmoyants, ternes, durs, froids, tristes, effrayés...

- un **nez** ... pointu, aplati, long, retroussé, recourbé, aquilin, rouge...

  ... droit, fin, court...

  ... crochu, tombant...

■ Des idées, des évènements, des activités, etc.

- une **idée** ... originale, géniale, lumineuse, claire, juste, nette...

  ... fausse, noire, bizarre, absurde...

- une **histoire** ... courte, longue, vraie, vécue...

  ... captivante, fantastique, comique, fabuleuse, extraordinaire, merveilleuse...

  ... ennuyeuse, banale, insignifiante...

- une **aventure** ... imaginaire, réelle, mouvementée...

  ... rocambolesque, palpitante, comique, merveilleuse, extraordinaire...

  ... triste, périlleuse, dangereuse, invraisemblable...

- un **évènement** ... sportif, culturel, historique...

  ... unique, spécial, inouï, imprévu, important, cocasse...

  ... tragique, banal, dramatique...

- une **nouvelle** ... étonnante, formidable, sensationnelle, renversante, rassurante...

  ... choquante, alarmante, inquiétante, triste, bouleversante...

- une **activité** ... sportive, culturelle, culinaire, manuelle...

  ... intense, plaisante, épatante, reposante...

  ... pénible, répétitive, monotone, épuisante...

- une **fête** ... annuelle, champêtre, familiale...

  ... réussie, splendide, unique, amusante...

  ... ratée, triste, ennuyante...

DANSER			
MODE INDICATIF			**MODE IMPÉRATIF**
présent	imparfait	passé composé	présent
je dans**e** tu dans**es** il/elle dans**e** nous dans**ons** vous dans**ez** ils/elles dans**ent**	je dans**ais** tu dans**ais** il/elle dans**ait** nous dans**ions** vous dans**iez** ils/elles dans**aient**	j'ai dansé tu as dansé il/elle a dansé nous avons dansé vous avez dansé ils/elles ont dansé	dans**e** dans**ons** dans**ez**
futur simple	conditionnel présent	futur proche	
je dans**erai** tu dans**eras** il/elle dans**era** nous dans**erons** vous dans**erez** ils/elles dans**eront**	je dans**erais** tu dans**erais** il/elle dans**erait** nous dans**erions** vous dans**eriez** ils/elles dans**eraient**	je vais danser tu vas danser il/elle va danser nous allons danser vous allez danser ils/elles vont danser	

*Tous les verbes à l'infinitif en -**er** (sauf **aller**) se conjuguent sur le même modèle.*

Ce sont des verbes réguliers.

JOUER			
MODE INDICATIF			**MODE IMPÉRATIF**
présent	imparfait	passé composé	présent
je jou**e** tu jou**es** il/elle jou**e** nous jou**ons** vous jou**ez** ils/elles jou**ent**	je jou**ais** tu jou**ais** il/elle jou**ait** nous jou**ions** vous jou**iez** ils/elles jou**aient**	j'ai joué tu as joué il/elle a joué nous avons joué vous avez joué ils/elles ont joué	jou**e** jou**ons** jou**ez**
futur simple	conditionnel présent	futur proche	
je jou**erai** tu jou**eras** il/elle jou**era** nous jou**erons** vous jou**erez** ils/elles jou**eront**	je jou**erais** tu jou**erais** il/elle jou**erait** nous jou**erions** vous jou**eriez** ils/elles jou**eraient**	je vais jouer tu vas jouer il/elle va jouer nous allons jouer vous allez jouer ils/elles vont jouer	

ÊTRE			
MODE INDICATIF			**MODE IMPÉRATIF**
présent	imparfait	passé composé	présent
je suis	j'étais	j'ai été	
tu es	tu étais	tu as été	sois
il/elle est	il/elle était	il/elle a été	
nous sommes	nous étions	nous avons été	soyons
vous êtes	vous étiez	vous avez été	soyez
ils/elles sont	ils/elles étaient	ils/elles ont été	
futur simple	**conditionnel présent**	**futur proche**	
je serai	je serais	je vais être	
tu seras	tu serais	tu vas être	
il/elle sera	il/elle serait	il/elle va être	
nous serons	nous serions	nous allons être	
vous serez	vous seriez	vous allez être	
ils/elles seront	ils/elles seraient	ils/elles vont être	

Ces deux verbes très irréguliers servent aussi à former les temps composés.

AVOIR			
MODE INDICATIF			**MODE IMPÉRATIF**
présent	imparfait	passé composé	présent
j'ai	j'avais	j'ai eu	
tu as	tu avais	tu as eu	aie
il/elle a	il/elle avait	il/elle a eu	
nous avons	nous avions	nous avons eu	ayons
vous avez	vous aviez	vous avez eu	ayez
ils/elles ont	ils/elles avaient	ils/elles ont eu	
futur simple	**conditionnel présent**	**futur proche**	
j'aurai	j'aurais	je vais avoir	
tu auras	tu aurais	tu vas avoir	
il/elle aura	il/elle aurait	il/elle va avoir	
nous aurons	nous aurions	nous allons avoir	
vous aurez	vous auriez	vous allez avoir	
ils/elles auront	ils/elles auraient	ils/elles vont avoir	

GRANDIR			
MODE INDICATIF			MODE IMPÉRATIF
présent	imparfait	passé composé	présent
je **grandis** tu grandi**s** il/elle grandi**t** nous **grandissons** vous grandiss**ez** ils/elles grandiss**ent**	je grandiss**ais** tu grandiss**ais** il/elle grandiss**ait** nous grandiss**ions** vous grandiss**iez** ils/elles grandiss**aient**	j'ai grandi tu as grandi il/elle a grandi nous avons grandi vous avez grandi ils/elles ont grandi	grandi**s** grandiss**ons** grandiss**ez**
futur simple	conditionnel présent	futur proche	
je grandi**rai** tu grandi**ras** il/elle grandi**ra** nous grandi**rons** vous grandi**rez** ils/elles grandi**ront**	je grandi**rais** tu grandi**rais** il/elle grandi**rait** nous grandi**rions** vous grandi**riez** ils/elles grandi**raient**	je vais grandir tu vas grandir il/elle va grandir nous allons grandir vous allez grandir ils/elles vont grandir	

Les verbes **finir, réussir, rougir** *se conjuguent sur ce modèle. Comme* **grandir**, *ils ont un infinitif en* **-ir** *et deux radicaux:* **-i-** *et* **-iss-**.

PARTIR			
MODE INDICATIF			MODE IMPÉRATIF
présent	imparfait	passé composé	présent
je pars tu pars il/elle part nous partons vous partez ils/elles partent	je partais tu partais il/elle partait nous partions vous partiez ils/elles partaient	je suis parti/partie tu es parti/partie il/elle est parti/partie nous sommes partis/ parties vous êtes partis/ parties ils/elles sont partis/ parties	pars partons partez
futur simple	conditionnel présent	futur proche	
je partirai tu partiras il/elle partira nous partirons vous partirez ils/elles partiront	je partirais tu partirais il/elle partirait nous partirions vous partiriez ils/elles partiraient	je vais partir tu vas partir il/elle va partir nous allons partir vous allez partir ils/elles vont partir	

Le verbe **partir** *ne se conjugue pas sur le modèle de* grandir, *c'est un verbe irrégulier.*

VENIR			
MODE INDICATIF			**MODE IMPÉRATIF**
présent	imparfait	passé composé	présent
je viens	je venais	je suis venu/venue	
tu viens	tu venais	tu es venu/venue	viens
il/elle vient	il/elle venait	il/elle est venu/venue	
nous venons	nous venions	nous sommes venus/venues	venons
vous venez	vous veniez	vous êtes venus/venues	
ils/elles viennent	ils/elles venaient	ils/elles sont venus/venues	venez
futur simple	**conditionnel présent**	**futur proche**	
je viendrai	je viendrais	je vais venir	
tu viendras	tu viendrais	tu vas venir	
il/elle viendra	il/elle viendrait	il/elle va venir	
nous viendrons	nous viendrions	nous allons venir	
vous viendrez	vous viendriez	vous allez venir	
ils/elles viendront	ils/elles viendraient	ils/elles vont venir	

Le verbe **venir** ne se conjugue pas sur le modèle de grandir, c'est un verbe irrégulier.

DIRE			
MODE INDICATIF			**MODE IMPÉRATIF**
présent	imparfait	passé composé	présent
je dis	je disais	j'ai dit	
tu dis	tu disais	tu as dit	dis
il/elle dit	il/elle disait	il/elle a dit	
nous disons	nous disions	nous avons dit	disons
vous dites	vous disiez	vous avez dit	dites
ils/elles disent	ils/elles disaient	ils/elles ont dit	
futur simple	**conditionnel présent**	**futur proche**	
je dirai	je dirais	je vais dire	
tu diras	tu dirais	tu vas dire	
il/elle dira	il/elle dirait	il/elle va dire	
nous dirons	nous dirions	nous allons dire	
vous direz	vous diriez	vous allez dire	
ils/elles diront	ils/elles diraient	ils/elles vont dire	

Le verbe **dire** est un verbe irrégulier.

ALLER

MODE INDICATIF			MODE IMPÉRATIF
présent	**imparfait**	**passé composé**	**présent**
je vais	j'allais	je suis allé/allée	
tu vas	tu allais	tu es allé/allée	va
il/elle va	il/elle allait	il/elle est allé/allée	
nous allons	nous allions	nous sommes allés/allées	allons
vous allez	vous alliez	vous êtes allés/allées	allez
ils/elles vont	ils/elles allaient	ils/elles sont allés/allées	
futur simple	**conditionnel présent**	**futur proche**	
j'irai	j'irais	je vais aller	
tu iras	tu irais	tu vas aller	
il/elle ira	il/elle irait	il/elle va aller	
nous irons	nous irions	nous allons aller	
vous irez	vous iriez	vous allez aller	
ils/elles iront	ils/elles iraient	ils/elles vont aller	

Le verbe **aller** est un verbe très irrégulier, il a plusieurs radicaux. Il sert à former le futur proche.

FAIRE

MODE INDICATIF			MODE IMPÉRATIF
présent	**imparfait**	**passé composé**	**présent**
je fais	je faisais	j'ai fait	
tu fais	tu faisais	tu as fait	fais
il/elle fait	il/elle faisait	il/elle a fait	
nous faisons	nous faisions	nous avons fait	faisons
vous faites	vous faisiez	vous avez fait	faites
ils/elles font	ils/elles faisaient	ils/elles ont fait	
futur simple	**conditionnel présent**	**futur proche**	
je ferai	je ferais	je vais faire	
tu feras	tu ferais	tu vas faire	
il/elle fera	il/elle ferait	il/elle va faire	
nous ferons	nous ferions	nous allons faire	
vous ferez	vous feriez	vous allez faire	
ils/elles feront	ils/elles feraient	ils/elles vont faire	

Le verbe **faire** est un verbe irrégulier.

PRENDRE			
MODE INDICATIF			MODE IMPÉRATIF
présent	imparfait	passé composé	présent
je prends tu prends il/elle prend nous prenons vous prenez ils/elles prennent	je prenais tu prenais il/elle prenait nous prenions vous preniez ils/elles prenaient	j'ai pris tu as pris il/elle a pris nous avons pris vous avez pris ils/elles ont pris	prends prenons prenez
futur simple	conditionnel présent	futur proche	
je prendrai tu prendras il/elle prendra nous prendrons vous prendrez ils/elles prendront	je prendrais tu prendrais il/elle prendrait nous prendrions vous prendriez ils/elles prendraient	je vais prendre tu vas prendre il/elle va prendre nous allons prendre vous allez prendre ils/elles vont prendre	

Les verbes **mordre, rendre, comprendre** et **répondre** (et autres verbes à l'infinitif en **-dre**) se conjuguent sur ce modèle.

METTRE			
MODE INDICATIF			MODE IMPÉRATIF
présent	imparfait	passé composé	présent
je mets tu mets il/elle met nous mettons vous mettez ils/elles mettent	je mettais tu mettais il/elle mettait nous mettions vous mettiez ils/elles mettaient	j'ai mis tu as mis il/elle a mis nous avons mis vous avez mis ils/elles ont mis	mets mettons mettez
futur simple	conditionnel présent	futur proche	
je mettrai tu mettras il/elle mettra nous mettrons vous mettrez ils/elles mettront	je mettrais tu mettrais il/elle mettrait nous mettrions vous mettriez ils/elles mettraient	je vais mettre tu vas mettre il/elle va mettre nous allons mettre vous allez mettre ils/elles vont mettre	

Le verbe **mettre** est un verbe irrégulier.

POUVOIR			
MODE INDICATIF			**MODE IMPÉRATIF**
présent	imparfait	passé composé	présent
je peux tu peux il/elle peut nous pouvons vous pouvez ils/elles peuvent	je pouvais tu pouvais il/elle pouvait nous pouvions vous pouviez ils/elles pouvaient	j'ai pu tu as pu il/elle a pu nous avons pu vous avez pu ils/elles ont pu	*Ne se dit pas à l'impératif.*
futur simple	conditionnel présent	futur proche	
je pourrai tu pourras il/elle pourra nous pourrons vous pourrez ils/elles pourront	je pourrais tu pourrais il/elle pourrait nous pourrions vous pourriez ils/elles pourraient	je vais pouvoir tu vas pouvoir il/elle va pouvoir nous allons pouvoir vous allez pouvoir ils/elles vont pouvoir	

Ces verbes sont irréguliers.

VOULOIR			
MODE INDICATIF			**MODE IMPÉRATIF**
présent	imparfait	passé composé	présent
je veux tu veux il/elle veut nous voulons vous voulez ils/elles veulent	je voulais tu voulais il/elle voulait nous voulions vous vouliez ils/elles voulaient	j'ai voulu tu as voulu il/elle a voulu nous avons voulu vous avez voulu ils/elles ont voulu	* * veuillez *jamais utilisé
futur simple	conditionnel présent	futur proche	
je voudrai tu voudras il/elle voudra nous voudrons vous voudrez ils/elles voudront	je voudrais tu voudrais il/elle voudrait nous voudrions vous voudriez ils/elles voudraient	je vais vouloir tu vas vouloir il/elle va vouloir nous allons vouloir vous allez vouloir ils/elles vont vouloir	

SAVOIR			
MODE INDICATIF			**MODE IMPÉRATIF**
présent	imparfait	passé composé	présent
je sais	je savais	j'ai su	sache
tu sais	tu savais	tu as su	
il/elle sait	il/elle savait	il/elle a su	
nous savons	nous savions	nous avons su	sachons
vous savez	vous saviez	vous avez su	sachez
ils/elles savent	ils/elles savaient	ils/elles ont su	
futur simple	**conditionnel présent**	**futur proche**	
je saurai	je saurais	je vais savoir	
tu sauras	tu saurais	tu vas savoir	
il/elle saura	il/elle saurait	il/elle va savoir	
nous saurons	nous saurions	nous allons savoir	
vous saurez	vous sauriez	vous allez savoir	
ils/elles sauront	ils/elles sauraient	ils/elles vont savoir	

Ces verbes sont irréguliers.

VOIR			
MODE INDICATIF			**MODE IMPÉRATIF**
présent	imparfait	passé composé	présent
je vois	je voyais	j'ai vu	vois
tu vois	tu voyais	tu as vu	
il/elle voit	il/elle voyait	il/elle a vu	
nous voyons	nous voyions	nous avons vu	voyons
vous voyez	vous voyiez	vous avez vu	voyez
ils/elles voient	ils/elles voyaient	ils/elles ont vu	
futur simple	**conditionnel présent**	**futur proche**	
je verrai	je verrais	je vais voir	
tu verras	tu verrais	tu vas voir	
il/elle verra	il/elle verrait	il/elle va voir	
nous verrons	nous verrions	nous allons voir	
vous verrez	vous verriez	vous allez voir	
ils/elles verront	ils/elles verraient	ils/elles vont voir	

Bibliographie

Sources des textes

Chapitre 1

«Timadou et le dragon» dans *Histoires courtes et amusantes d'animaux*, Catherine Metzmeyer, Champigny-sur-Marne, Éditions Lito, 1999, p. 79 à 84. **(p. 4)**

Ma mère est une sorcière, Agnès Bertron, Paris, Père Castor Flammarion, 1997. **(p. 11)**

Chapitre 2

Le chat, un doux félin, Olivier Rey, Images DOC, Paris, Bayard Presse Jeune, n° 81, septembre 1995, p. 6-7. **(p. 20)**

«À chacun sa méthode» dans *Ces animaux qui font peur*, Steve Pollock, Traduction et adaptation Claire Blanchet, Paris, Nathan, Collection «Miroirs de la connaissance», p. 12 et 13. **(p. 21)**

Adaptation de «L'œuf ou la poule», de Louise Sylvestre, *Mémo mag 6, dossier 7*, Boucherville, Les publications Graficor, 1996. **(p. 26)**

Fabriquer, Collection «Ma première encyclopédie», Paris, Larousse-Bordas, 1997, p. 56-57. **(p. 31)**

«De l'eau» dans *L'encyclo Monde*, Paris, De la Martinière Jeunesse, 1999. **(p. 34)**

Chapitre 3

«Le chat et le soleil» dans *L'arlequin*, Maurice Carême, Fondation Maurice Carême, D.R. **(p. 36)**

Le dico des mots rigolos, Michel Piquemal et Gérard Moncomble, Paris, © Éditions Albin Michel Jeunesse, 1999. **(p. 36)**

«Chanson pour les enfants en hiver» dans *Histoires*, Jacques Prévert, Paris, © Éditions Gallimard. **(p. 37)**

«Le poisson rouge» dans *Le moulin à images*, coffret Tire Lyre 1, Pierre Coran, Éditions de l'École. **(p. 37)**

«Une maison d'or», Gilles Vigneault, dans *Pleins feux sur la littérature québecoise*, Louise Lemieux, ASTED, 1977. **(p. 38)**

«Le petit chat perdu» dans *Chats qui riment et rimes à chats*, Pierre Coran, Collection «Plus», Montréal, Éditions Hurtubise HMH, 1994, p. 48 à 50. **(p. 41)**

«Le vent» dans *Poèmes et chansons d'amour et d'autre chose*, Georges Dor, Montréal, Leméac, 1991. **(p. 42)**

«Le coucher du soleil» dans *Au clair de ma plume*, Anne Schwarz-Henrich, Strasbourg, Callicéphale Éditions, 2001, p. 107. **(p. 43)**

Chapitre 4

Boîte à lettres, Noëlla Lecomte, Éditions Grasset & Fasquelle, 1998. **(p. 44)**

Lettre de Madani, tirée de «Des écoles autour du monde», Catherine Béchaux et François Récamier, Images DOC, Paris, Bayard Presse Jeune, n° 93, septembre 1996, p. 46-47. **(p. 46)**

Lettre au professeur Scientifix, *Les Débrouillards* (JMPD), n° 9, octobre 1982, p. 14. **(p. 47)**

Chapitre 8

«Cet amour» dans *Paroles*, Jacques Prévert, Paris, © Éditions Gallimard, 1972. **(p. 138)**

Chapitre 9

«Pour faire le portrait d'un oiseau» dans *Paroles*, Jacques Prévert, Paris, © Éditions Gallimard, 1972. **(p. 146)**

Chapitre 11

Dictionnaire LAROUSSE des débutants © Larousse / HER 2000 **(p. 208, 217-219)**

Ouvrages spécialisés

CATACH, Nina. *L'orthographe*, Que sais-je ?, n° 685, 8e édition, Paris, PUF, 1998.

DRILLON, Jacques. *Traité de la ponctuation française*, Collection «Tel», Paris, Gallimard, 1991.

Pour la rédaction de la liste d'adjectifs (p. 286)

GUILLEMETTE Suzanne et RAYMOND Nicole, *L'Aide-mémoire 3*, Boucherville, Les publications Graficor, 1995, p. 23 à 25.

LEFEBVRE Reine et L'ITALIEN Claire, *Le Petit Lexique*, Boucherville, les éditions françaises inc., 1994.

LE GRAND ROBERT DE LA LANGUE FRANÇAISE 1985 (deuxième édition). *Dictionnaire alphabétique et analogique de la langue française* (9 vol.), Paris, DICTIONNAIRES LE ROBERT, 1985.

Index